W9-ARL-302

目 录

暗夜烛光——全球经济危机阴影下的预言与启示

一、危机席卷全球

这是一个艰难的时刻。

我们的这个世界刚刚结束了一场长达 20 年的、人类历史上从未有过的空前繁荣。

以计算机和互联网为先锋的信息革命使人类生产力在极短时间内获得了爆发性的增长。从 20 世纪 80 年代开始，以科技突破为先导，市场经济和经济自由主义精神为内核，巨大的生产力伴随着汹涌澎湃的全球化浪潮，在短短 20 年间，冲破重重国界、文化与意识形态的樊篱，以势不可当的气势席卷全球。在悠悠历史长河中，从来没有任何一场社会变革能够像这次一样，在如此短的时间内创造出如此庞大的财富，惠及如此广泛的地区和阶层。就在两年前，这个星球上的人们还在为世界变得更加平坦而欢呼，从伦敦到纽约，从上海到孟买，商业精英们踌躇满志，将整个世界作为他们施展抱负的舞台。普通大众也同样能够清晰地感受到自身财富和社会整体的长足进步。前方似乎一马平川，我们需要做的只是无所顾忌地阔步向前。

然而，当人类还沉浸在对世界以及自身未来更加美好的期盼与梦想之中时，一场乌云耸动的风暴却在不经意间出现在地平线上，给我们的前方罩上了一层混沌暗沉的阴影。

众所周知，这场风暴肇始于世界金融中心的华尔街。当它于

2007 年年初，以次贷危机的形式悄然出现时，并没有引起全世界的过多关注，然而，令人始料未及的是，这场危机愈演愈烈，如瘟疫般从美国向全球，从金融业向实体经济迅速蔓延开来，给全球经济的各个层面造成了前所未有的沉重打击。在仅仅一年多的时间里，受此次危机所累，众多声名显赫、历史悠久，曾经在世界经济舞台上纵横驰骋的巨型银行、金融财团以及实体企业遭受重创。叱咤华尔街的五大投行转瞬间烟消云散。花旗银行和通用汽车遭受巨额损失，股票价格从二三十美元跌至 1 美元，濒临破产的边缘。在短短的一年之间，由于次贷危机而导致的直接损失据称达到了 1 兆美元，因此诱发的房市崩盘造成美国房市总值缩水 20%，5 兆美元凭空蒸发。并且事态仍在继续恶化，以上所举的这些事例并不是这场危机所造成的全部损失，而且也仅限于美国一处，尚未将美国以外的其他地区，如日本和欧洲等同样由于此次危机蒙受惨重损失的国家和地区包括进来。

大约在一年前，美联储前主席艾伦·格林斯潘曾经将这场危机的规模和影响称为"百年一遇"，然而，随着各国经济困境进一步的蔓延和扩大，越来越多的专业人士已经开始用"史无前例"来形容这场危机。

正如媒体对于此次危机称谓的变化所昭示的，迄今为止的两年中，从最初的"次贷危机"演变为"全球金融风暴"，并进一步成为现在已经时或可闻的"全球经济危机"，有部分悲观人士甚至已经开始将这场危机定义为另一场"大萧条"。不管是学术界，还是企业界，全世界都弥漫着一股莫名的恐慌，面对这场"史无前例"的巨大危机，曾经意气风发、指点江山的学者和专家们突然感觉到了以人类现有经验和知识应对危机时的力不从心和无所适从。在 2009 年年初于美国旧金山召开的经济学年会上，与会的众多世界最优秀的经济学家和专业人士对于这场危机的看法和对策众说纷纭，莫衷一是，最终除了在这场危机将会进一步恶化，很难在短期内结束这一点上取得了普遍共识以外，对于究竟应该采取什么措施来有效应对和解决这场危机，无人能够给出服众的答案。

二、在经济学理论中寻求突破

当然，这并不奇怪，作为一门当代显学，经济学对于人类社会的重要意义早已得到普遍认同。但是经济学同时又是一门标准的实证科学，从亚当·斯密的《国富论》，到凯恩斯的政府积极介入观点，再到弗里德曼的经济自由主义思想，我们可以看到，人类社会本身的复杂性和剧烈变化决定了经济学的发展永远都是立足于对现实世界和现象的不断再认识和验证之上。也就是说，在经济学领域不存在爱因斯坦式的人物，是事实推动着经济学这门学科的前进步伐，而非相反。

然而，在现实危机面前，我们却又绝对不能坐以待毙，必须立即采取行动，将损失降到最低，争取早日从这场深渊般的困境中脱身。很多时候，恐慌往往不是来自于困境本身，而是由于对所处困境的根源、构造，以及未来发展趋势的无知和不确定。因此，只有在充分了解困境的本质之后，有效对策的制定和执行才会成为可能。为了实现这个目标，我们必须首先在当前的混沌中，正确观察我们所处的困境，认清方向，寻找解脱途径。这当然不是一件容易的事情，尤其是在现在这种时刻。不过，我们并非完全孤立无援，美国著名作家约翰·塔伯特（John R. Talbott）于 2009 年 1 月出版的《大拯救》（Contagion）一书正是一道向所有正在迷雾之中寻找脱身之道的人们投来的光束。

作为美国知名的畅销书作家，塔伯特无疑是一位传奇式的人物。他早年任职于高盛银行，后专职写作，出版了一系列脍炙人口的经济与政治学著作。同时，他还是《华尔街日报》、《金融时报》等世界知名报刊的撰稿人，长期活跃于各大电视媒体。不过这些并不是塔伯特的传奇性之所在，他真正令人称道之处在于，作为一名畅销书作家，他宛如一位当代经济问题的"诺查丹玛斯"。在最近 10 年间，塔伯特著书立说，不断针对未来的经济形势做出各种大胆明确的预言，而他的这些预言最终又一次次地被现实证明。早在 2003 年，美国房市如日中天之时，塔伯特就冒天下之大不韪，在《即将到来的住房市场危机》一书中预言了此次的房市大崩盘。到 2006 年，美国经济正呈现出欣欣向荣的景气之时，他又在《现在就卖！》一书中再一次预言美国房价已经触顶，接下来将会开始滑落。2007 年年初，正当巴拉克·奥巴马还在为争取民主党总统候选人提名与希拉里·克林顿苦斗，外界对于他能否出线颇多疑虑时，塔伯特再次于《奥巴马经济学》一书中大胆预言美国遭遇的经济困境将会成为 2008 年美国总统大选的终极话题，而最终入主白宫的将是奥巴马。

现在，塔伯特在他的这本最新著作中，以他一贯的果断、明确的风格，向我们揭露了此次金融风暴背后众多不为人知的内幕，使我们终于理清了这场危机的脉络，他一如既往地对这场危机的未来走向做出预言，并为政府决策者、企业主管以及普通大众提供了应对危机、走出困境的对策和途径。

在塔伯特的所有这些著作中，虽然他总是以预言家的姿态出现在读者面前，但却从来不靠耸人听闻、故弄玄虚来吸引读者，他的每一次预言都建立在对于美国的社会结构、经济形势、业界生态的充分了解和分析之上。这正是他以前那些大胆预言最终总能得到验证的关键之所在，也是我们之所以需要仔细倾听，认真对待他在本书中对于此次金融风暴的分析和预测的重要原因。

对于这场危机，作为局外人的我们常常会深感困惑。精英云集的华尔街，规章严密的美国法制体系，稳定成熟的美国金融市场，何以能够容忍一场规模如此庞大、破坏力如此骇人的危机从华尔街一步步发展起来，最终祸及全球？

作为一名前华尔街的从业人员，塔伯特深谙那些华丽外表之下的丑恶与贪婪，这些丑恶和贪婪隐藏在重重黑幕之后，让外界难以察觉，却正是催生此次金融风暴的主要根源。塔伯特在他的这本新书中，对于这些罪恶之源毫不留情地进行了深刻揭露和尖锐鞭挞。通过阅读这本书，我们心中的众多困惑将会迎刃而解。

塔伯特在字里行间揭示了当前经济形势的来龙去脉，更重要的是，帮助公众了解我们为何会陷入现在这样的境地。他揭示了那些困扰我们的金融和经济问题的严重性，以及造成这些问题的深层原因。

塔伯特对此次金融危机及其根源的分析远远超越了单纯的次级贷款问题。他详细论述了所有类型的、将会面临危险的信贷问题，并且指出，在银行、企业、政府和消费者都能够降低自身杠杆率，学会以低负债、低消费的模式经营和生活之前，经济将不会复苏。

并且，塔伯特并未就此满足，他进一步谴责了政府监管体制的弱化，正是这种监管的弱化导致了银行的为所欲为。

最后，塔伯特并没有简单地将所有责任归咎于贪婪自私的金融巨头和腐败政客以取悦大众，他毫不客气地指出，美国公众同样应该为由于他们对于物欲和私利的无限追求，以及对华尔街和政客们的过度放纵所造成的恶果承担责任。因此，塔伯特在本书的结尾做出结论，美国要想真正摆脱这场危机，不仅需要对政治制度和金融体系进行大刀阔斧的改革，公众也需要重新反省现有的生活方式，摈弃及时行乐的心理和过度消费的生活方式。

塔伯特在书中全面剖析了各类金融、政府和社会症结，这本及时问世的著作直击那些投资者、企业主管和相关公众所必须了解的本质问题，帮助他们在这场漫长而险恶的全球经济衰退中，保障自身的利益和生活。

这场危机现在已经成为全世界关注的焦点，与此相关的各类著作、文章也是层出不穷。但是，本书在诸多同类著作中，却显得独树一帜。不同于其他经济学领域的专业人士，塔伯特从不过分迷恋纯粹理论的分析，或者左右逢源的暧昧解答。他总是以事实为依托，用通俗易懂的语言，直截了当地揭示问题，以自信的态度对未来做出不容置疑的预言，同时提供相应的建议。一个最现成的例子就是：在本书中，塔伯特一再严厉谴责了美国政府内部的腐败，这种腐败导致政府官员和议员与私营企业狼狈为奸，对市场监管制度进行刻意的破坏。而就在本书问世不到三个月的时间，美国就爆发了与AIG救助案相关的一系列丑闻，美国前财政部长保尔森当初拒绝向陷入困境的华尔街主要投资银行之一雷曼兄弟公司施以援手，任其倒闭，却慷慨地向同样濒临破产的美国国际集团（AIG）提供 850 亿美元的救助资金。而直到 2009 年 3 月，这项决定的真相才大白于天下，美国政府提供的这 850 亿美元纳税人资金中，有 129 亿美元流向了与 AIG 有保险业务关系的高盛集团。如果保尔森当初不向AIG 注资，任其破产，那么高盛必将因此蒙受巨额损失。因此，保住了 AIG，就保住了高盛。而其中的奥妙在于，保尔森本人正是高盛集团的前董事长和 CEO。看到这里，我们不得不折服，现实如此迅速地再一次为塔伯特的主张提供了真实注解。

三、我们能否找到答案

作为一名世界顶尖投资银行的前银行家，塔伯特自然没有忘记为那些渴望在这场风暴中规避风险、独善其身的人们提供一些切实可行的选择和途径，对于这些选择和途径，塔伯特在本书第十三章中进行了详尽的阐述，他的这些建议对于广大普通投资者来说具有极高的参考价值，值得认真思考和揣摩。

毋庸置疑，由于作者的身份和背景，本书原来的针对对象主要是美国公众。但是在全球一体化的今天，对于中国读者来说，这本书所展示的诸多症结，揭露的各种问题，以及提供的相应对策离我们并不遥远，具有宝贵的参考价值。并且，更重要的是，在这本书中，也隐含着向太平洋彼岸的我们所发出的意义深远的昭示。

塔伯特在本书中向我们展示美国社会所面临的严峻挑战之后，最终指出，这场灾难的真正根源在于美国各个阶层对于物质享受和私利的过度追求所诱发的自私与贪婪，正是这种自私与贪婪导致了美国的社会腐败与道德沦丧现象的蔓延，并最终动摇了美国作为一个国家的信用基础。美国要想走出危机，重振雄风，不再重蹈覆辙，就必须从根本上进行反省和变革，塔伯特开出的药方就是美国人必须改变现在这种以大规模消费为代表的生活方式，以及物质享受至上的价值观，回归简朴生活，重塑道德信念，修补美国的信用基础。

然而现实却是，早已习惯了以占世界6％的人口消耗世界1/3资源的美国各个阶层到目前为止似乎并不打算采纳塔伯特的建议。伯南克领导下的美联储终于全力开动了美国的印钞机，在一年多的时间里就将美联储的资产负债规模从8 000亿美元扩增到2兆美元。这显然是在试图通过人为制造通货膨胀，从而达到刺激美国经济、稀释美国政府和民间债务的目标，帮助美国度过眼前的困境。伯南克对于这种做法自然会有他的解释，作为研究20世纪30年代美国大萧条的专家，伯南克一向主张当时的美联储没有及时向市场注入足够流动性是导致大萧条的根本原因。因此，作为美联储主席，他当然不能允许历史重演。

然而，伯南克不能回避的一点是，现在的美国并非80年前的美国，现在的美元也不能与80年前的美元相提并论。始于1944年的布雷顿森林体系确立了美元作为世界货币的地位，使得美国可以利用美元做支点，轻易影响世界经济格局，为其全球经济、政治、外交、军事目的服务。然而，在享受这些特权的同时，美国也应承担维护国际货币体系安全和稳定的义务。

我们姑且不去追究伯南克这种做法的有效性和巨大风险，作为世界最大债务国的中央银行，美联储的这种做法显然是在肆无忌惮地给中国、日本等持有大量美元资产的国家的金融安全和国家利益造成威胁，并最终给世界经济的稳定带来难以估量的隐患。也就是说，美国现在正全然不顾他人安危，为了暂时的一己私利，甘愿以自身信用为代价，通过损人来达到利己的目的。如果我们以塔伯特的观点来对照检验的话，就不得不承认，这无疑正是他所谓的对于私利的过度追求所诱发的自私与贪婪在国家层次上的一种具体表现形式，而当这种自私与贪婪已经渗透到这个国家的骨髓之中时，不管开出怎样的药方，最终也不会产生真正有益的效果。

对于中国来说，美国可以算是最重要的国家之一，由于两国之间广泛密切的关系和利益牵连，中国要想在这场世界性的危机当中认清形势，找到对策，减少损失，渡过难关，就必须对美国的现状和未来有充分和深刻的认识，尤其是在当前这种严峻的时刻。而塔伯特的这本书对于中国人来说，无疑是一扇从内部向我们打开，使我们能够窥视其内在本质的难得的窗口。因此，对于任何打算深入了解此次金融风暴的全貌和本质，发掘美国当前形势和未来发展趋势，从各个层面制定危机对策的人士来说，本书都是一本难得的必读之作。

作为译者，本书是在继日本野村证券首席经济学家辜朝明先生所著的《大衰退》之后，我在前后半年的时间里翻译的第二本与此次金融风暴有关的英文专著，在当前与世界金融风暴有关的诸多著述中，这两本书都具有不凡之处和重要的参考价值。我很荣幸能够在这场风暴尚未完全侵袭到我们头上之时，将这些优秀著作翻译介绍给国人，为中国在应对这场前所未有的世界性危机的斗争中尽到一份微薄之力。在翻译本书时，为方便读者阅读和理解，我对书中的一些专业术语和专有名词做了简短注释。由于时间仓促，加上本人学术水平有限，错漏不当之处在所难免，敬请广大读者朋友谅解、指正。

喻海翔

2009 年 3 月 26 日于成都

我们能否度过这场危机

我在纽约有一位名叫拉斐尔的好友，他在第110街和第二大道的交会处开了一家很不错的牛排馆，名叫"里卡多"。不知从何时开始，他总是开玩笑地向他的朋友们介绍我是诺查丹玛斯，然后告诉大家我在过去10年间对房市、住房抵押贷款市场，以及整体经济做出的一系列准确预言。

毋庸讳言，我确实曾经做出了一系列令人难以置信的准确预言。我在1999年出版了一本书，预言了网络与高科技泡沫的破灭。2003年，我出版了《即将到来的住房市场危机》(*The Coming Crash of the Housing Market*)一书，这本书不仅预见到了房价的下跌，还提到了下跌程度的严重性，并且影响范围将不会局限于某些区域而是全美国。书中所有内容都是关于房利美（Fannie Mae）、房地美（Freddie Mac）和整个商业银行系统在未来不得不面对的难题。2006年2月，我的新书《现在就卖！住房泡沫即将终结》(*Sell Now! The End of the Housing Bubble*)几乎是伴随着房地产市场的最高点同时面世的。在这本书中，我证明了问题要比人们所想象的更加严重，并且规模不会仅限于美国，而将在全球范围内蔓延。我指出泡沫之所以产生，根本原因就在于银行放贷的失控，并且阐明正是由于美国院外游说集团的压力，迫使政府无法对其进行有效管理。在2008年年初，当几乎所有人都相信希拉里·克林顿将会当选民主党总统候选人，并且本次总统选举中的核心议题将会是伊拉克战争时，我撰写了著作《奥巴马经济学》(*Obamanomics*)，不仅指出巴拉克·奥巴马将获得民主党提名，并且成功预言了经济政策，尤其是金融危机才是这次总统大选中最重要的议题。

现在，通过本书，我要继续接受挑战，对未来做出预测。这项任务虽然并非十拿九稳，但我会知无不言，言无不尽。现在市面上已经有不少试图解析当前美国次贷危机和房价暴跌成因的著作，但几乎没有任何专业的经济学家胆敢冒着名誉扫地的风险去预测未来的发展趋势。但是，对于投资者、商业人士，以及相关大众来说，这才是他们真正关心的问题，他们期望从具有公信力的人士那里得到某些启发，从而读懂当前危机将会对未来产生怎样的影响。我当然相信某些历史学家和经济学者希望看到的是对于当前形势的概括性总结，然而这却并非我本人的目的。我想做的就是尽我所能，帮助读者理解美国是如何陷入当前这种困境的。虽然我不能保证未来将会怎样，然而，通过揭示美国人所面临问题的严重性，以及我这些观点的来龙去脉，我相信一定能够帮助你采取更加有效的措施，来保护你自己的财产、你自己的生活，以及你自己的国家。

那么，我是如何做到这一点的？我为何能够预测未来？是因为我有一个（预测未来的）水晶球，或者像诺查丹玛斯那样拥有特异功能？还是因为我是世界上最聪明的人？不，我不是世界上最聪明的人。我不笨，然而相对于周围的人来说，聪慧也并非我的强项。

我在预测经济形势及其影响方面的优势在于我的独立性。多年以前，我放弃了在华尔街的工作——那是个充斥着老板、董事会、公司决议和循规蹈矩的世界。每天清晨当我醒来时，并不确定又将要面对怎样的难题，但我清楚的是，自己唯一的任务就是去揭露真相。没有任何生意、商业，或者金钱因素驱使我为其他任何人服务，我只为我自己工作，而我为自己所选择的目标就是挖掘真相。

没有谁愿意被欺骗。我当初之所以决定开始动笔写作，是因为我感到这个世界充斥着太多的谎言，我希望自己能够通过著书立说来帮助这个世界找到真相。众多企业主管、政府官员，甚至我的朋友和亲戚们都认为撒谎只不过是一种无害的罪过。然而今天这场金融危机的根本起因却正是由于腐败与谎言被允许进入了我们政府的神圣殿堂。从来就不存在什么无害的谎言，其谬误之处不仅在于谎言所产生的实际危害，还在于谎言导致的破败与毁灭给人们带来的痛苦。

任何人，如果他同意艾伦·格林斯潘的说法，认为美国房市、抵押信贷市场和银行系统现在的遭遇不过就像一场百年一遇的洪水，是由于经济周期中某些随机因素而自然发生的现象，那么他就需要读一读这本书。造成今日苦难的祸根早在许多年前，当美国公众允许大企业和华尔街向议会和总统提供巨额竞选献金，以避免任何新的规制以及基于现有法律的严格监管时就已埋下。

不幸的是，最糟糕的状况仍未结束，问题并没有因为美国房价的暴跌而终止。美国的住宅不动产规模庞大，并且在房市繁荣期间所增加的价值相当惊人，因此房价回落所产生的调节作用不仅微不足道，其负面影响更是超越美国，波及全球。

我要感谢比尔·费伦（Bill Fallon）和约翰·威立父子出版公司的所有员工，是他们协助我将这个重要题材付梓成书。对于出版社来说，出版一本与当前形势相关的图书总是需要承担极大的风险，尤其是当这本书还试图预测未来时。这也显示了他们对于我作为一名作者的信心，甘愿把赌注押在我身上。同时也要感谢我那些在墨西哥的朋友们，他们是：彼得、艾莲娜、哈罗德、博卡和索罗维娜。没有他们的支持，以及一起在沙滩上的漫步，或许我永远也无法完成这本书。此外，啤酒也帮了我不少忙。

我真诚期望这会是我最后一本关于暴跌、衰退或者崩溃的著作。我也期望美国公众能够觉醒，通过他们所选举的代表来谋求一个更好的政府，遏止院外游说集团和企业竞选献金带来的腐败。同时，我更期望在将来，当美国大众终于摆脱困境时，对于充实和充满意义的生活将会有一种与从前截然不同的见解，永远不再让肆无忌惮的消费主义和物质主义扭曲他们生活的方向。

约翰·R·塔伯特

johntalbs@hotmail.com

第一章　欺　诈

Contagion［kuhn-tey-juhn］瘟疫——名词

1. 疾病通过直接或者间接接触进行的传播。

2. 因传染而得的疾病。

3. 传染性疾病得以传播的媒介。

4. 有害或者令人厌恶的接触以及影响。

5. 一种思潮或者情绪在人群之间的迅速传播或者扩散，例如：恐惧的瘟疫。

以上这五个定义每一项都恰如其分地描述了当前世界的经济和社会状况。贪婪、毫无节制的消费主义，以及致命的自私自利虽然并非真实的疾病，但是毫无例外都具有破坏性的效应。目前的这种恶劣状况尽管不是通过直接接触进行传播，却显然能够四处扩散，尤其是通过那些有害或者令人厌恶的接触。这同时也是一种思潮的泛滥，这种思潮认为人活着就是为了积累财富，用以衡量一个人的基本准则可以完全将正义与道德排除在外。人们变得只重视目的，而对达到目的的手段毫不在意。

一、贪婪像瘟疫般蔓延

我不记得是谁最早沾染上这种贪婪病毒的。不过可以确定的是，就像当初电视台深夜节目中的那些商人一样，他们可以不择手段，为了利益出卖一切。政客们同样如出一辙，因为自私自利是成为一名政客的前提，而自私自利与背信弃义之间只有一步之遥。我现在还能回想起今生所看到的第一个律师为伤害案件提供服务的电视广告，我也记得医生们是从何时开始变得对自己的收入比对患者更感兴趣。我们每个人都能说出那些为了利益而非信仰传播福音的电视传道者们的名字。

当然，华尔街永远都是贪婪的，它一向如此。可是即便在华尔街，情况也已变得更加恶劣。20年前的华尔街尚能做到诚信守诺，认为企业声誉神圣不可侵犯，利润的获取也是依靠传统方式——比自己的竞争对手更加体贴迅捷地向客户提供能够为他们创造真实价值的产品和服务。

然而从那以后，商业和资本投资将华尔街变成了"娼妓窝"。某些东西除非你能说服别人为其投资，否则就一钱不值。如果你能误导某位投资者，令他投资某项物非所值的资产或项目，那么你就可以额手相庆。如果你能隐瞒资产负债表上的负债，再将它们转嫁给客户，那就更值得你欣喜若狂。

但是我不想让人产生错觉，误以为当前的这场危机起源或终结于华尔街。事实上，仅仅华尔街本身并不能造成这些恶果。我们必须牢记，眼下这一切都肇始于一场无法继续维持下去的房产热潮以及最终的房市崩溃。是由于住房抵押贷款代理商在房贷申请书上伪造收入证明，并买通评估人员授予不实的高等级评估，房产经纪人才得以让他们的客户住进更大的房子，所有这一切最终导致了房价的剧烈攀升。商业银行为这些胆大妄为的交易提供了住房抵押贷款，当然，商业银行不会让这些贷款长期驻留在自己的资产负债表上。接下来，投资银行会将它们包装上市，卖给诸如养老基金或主权财富基金之类毫无戒心的机构投资者，这或许还算不上不道德的行径，但是它们向评级机构支付了数千万美元的费用，以便让这些垃圾证券能够被评为 AAA 级。甚至那些上当受骗购买了垃圾资产的受害者也并非毫无责任，那些投资者一心追求高额投资回报，却又懈怠失职，没有进行应有的信用调查和分析，完全依赖那些所谓的信用评级。假如你的工作仅仅是投资 AAA 级证券，那么你就可以从繁杂的信用调查分析中脱身，空出大量时间去打高尔夫球。

二、危机背后的真相

然而，这场灾难爆发的真正原因在于受到幕后操纵的美国政府。假如没有美国政府针对金融业实施的大规模去规则化政策，以及对既有规则和监管的放松，那么当前的这一切根本就不会发生。近 30 年来，美国政府一直都在喊着小政府、少规制，从而实现低赋税、高发展的口号。可是，今日美国的现状却是高支出、高赋税、大政府，而针对最大规模企业和银行的监管却被大幅削弱。

美国的国会议员们现在不断声称他们如何为当前的危机所震惊。然而真相却是，不仅针对房价和住房抵押贷款市场，同时包括房利美、房地美，以及整个商业银行、投资银行系统和对冲基金行业的高负债杠杆工具，这些议员们早就在危机到来之前得到了无数次的警告。这场危机的爆发并非偶然，这座千疮百孔的大厦，崩塌只不过是迟早的问题。房利美和房地美是两家庞大机构全名的简称，比如房利美的全称为"联邦国民住房抵押贷款协会"（Federal National Mortgage Association），这两家机构的任务就是收购银行的住房抵

押贷款资产，然后将它们包装上市，以证券的形式出售给投资者。简单地说就是将房贷转化为更像传统债券的有价证券。

为了弄清这场危机产生的真相，你就不能满足于去规则化的解释，但是这又带来一个无法回避的问题：为什么美国国会和总统会允许解除管制？简明扼要的回答就是：他们全部都被那些要求解除管制的企业收买了。美国议会和总统每年通过募集竞选献金的方式从企业、银行以及华尔街那里收受数十亿美元的资金，它们是美国政治选举的最大金主。你是否同意，除非是为了获取某种回报，否则一家以盈利为目的的企业不会向国会议员提供赞助？约翰·麦凯恩（John McCain）承认自己从所在委员会监管的电信公司那里获取过资金，不过他辩解称那不会影响他的决策。假如此话当真，那么给他钱的企业显然是在愚蠢地浪费自身资产。然而事实恰恰相反。据 www.publiccampaign.org 网站最近的调查显示，一个典型美国企业在竞选献金上所花费的每一美元资金，最终可以通过税收优惠、税收减免和退税等方式从美国政府那里为这个企业带来超过 400 美元的收益。毫无疑问，400∶1 的投资回报率对于一个企业来说要比其他任何正常商业投资都划算得多，而且这还没有包括企业通过院外游说集团所获得的全部利益。要知道除了税收优惠之外，大批展开院外游说的企业还会在许多其他方面得到各种协助，包括保住国内势力范围以抗衡国外竞争对手、压制工会、为自己的产品提供价格保护，以及协助开拓海外市场等。

举例来说，来自纽约的参议员查尔斯·舒默（Charles Schumer）的前 10 名金主全部来自于他所在参议院银行委员会所监管的最大金融机构。在美国议会的前 10 名竞选经费捐款人的名单中，包括全国房地产经纪人协会（National Association of Realtors）、住房抵押贷款银行家协会（the Mortgage Bankers Association）、美国银行家协会（the American Bankers Association）、房利美、房地美以及华尔街的投资银行和对冲基金，这看上去就包括了当前房产、住房抵押贷款和银行危机中的所有参与方。仅在 2007 年一年的时间里，证券和投资业界就花费了 8 600 万美元用于院外游说，不动产业界为此支付的金额也高达 7 800 万美元。谁能说这一切都只是巧合？

你是否想要更多证据？随便说出任何一个美国现在正面临的难题，我都能向你指出相应的院外游说势力，它们竭力阻止有利于全体美国人的合理解决方案通过。全球温暖化？煤炭业院外集团和电力院外集团。油价？石油天然气院外集团。药价过高？制药业院外集团。医疗成本和覆盖率？医疗企业院外集团和健康维护组织业院外集团。军事国防支出？国防工业院外集团。社会保障和健康保险改革？美国退休人员协会。教育改革？教师工会院外集团。

这些难道都是偶然？我不这样认为。看一看当前危机的事实，银行和其他金融机构完全不受监管，利用杠杆工具扩张自身资产规模，并疯狂地向购房者提供规模惊人的住房贷款。对于房地产经纪人、评级商以及房贷中介代理商也没有相应的监管措施。对于房利美和房地美的监管非常马虎，这两家机构利用相当于它们自身资产 120 倍的债务杠杆，收购或担保了全美住房抵押贷款的一半，总共约 5.2 兆美元。难道房利美和房地美也都是凑巧花费了数亿美元用于院外游说活动和国会议员的竞选经费赞助？评级机构和投资银行更是完全不受监管地将这些房贷证券包装上市，并在世界范围内销售。作为美国国会和总统的最大捐款方，对冲基金没有申告义务，没有透明性，没有监督，它们在 10 年的时间里，在完全不受任何监管的情况下将最初 1 400 亿美元规模的信用违约掉期（the credit default swaps，CDS）市场扩张至现在的 65 兆美元。美国国际集团（AIG）本来应该是家保险公司，却被发现涉入信用违约掉期市场，金额高达 4 200 亿美元，这为 AIG 今天的窘境埋下了祸根。

就像太阳一定会升起，雨滴一定向下落，潮涨潮落皆可预测一

样，当前的这场金融风暴完全是命中注定，无法避免的。美国政府不但在国内寻求去规制化，而且还将其作为解决世界经济问题的灵丹妙药，在全球范围内四处推销。监督管制也有好坏之分。在秘鲁和印度，一名企业家需要花费六个月的时间，通过850道官僚程序才能从政府那里得到执照，开设一家小企业。毋庸置疑，这样的过度监管显然也不利于经济发展。

三、美国政府的腐败病

但是美国人在全世界推动自由资本主义，鼓吹去规制化时却忘记了一点，没有适当的规制，就不会有自由的市场。没有法规，市场根本就不可能存在。在非洲以及其他发展中国家和地区，资本主义自由市场发展缓慢的一个主要原因不在于商业，而在于政府。这些政府无法提供必要的监管和法规以维护商业效率。没有法规，合同将无法兑现，欺诈行为不会受到惩罚，财产权益也无法得到保障。如果你审视一下世界地图，在人口超过100万的160个国家中，除了约50个国家以外全都经济繁荣，增长稳定。而这50个国家的状况都只能归咎于同一个原因——不合格的政府。众多第三世界国家政府的腐败意味着，在这些地方创业设厂的个人必须承受政府官员随时可能侵吞他们利益的恐惧。

非常讽刺的一点是，与其说美国向世界其他国家输出了优秀的政府模式，倒不如说美国从第三世界输入了腐败病。当美国政府变得越来越腐败、越来越受到企业献金和院外集团的操控时，政府对商业的监管也就开始变得松懈马虎，并进而威胁到商业本身。卡尔·马克思说过，资本家将制造出套在他们自己脖子上的绞索。这也正如拉古拉迈·拉詹（Raghuram G. Rajan，芝加哥大学金融学教授，国际货币基金组织前首席经济学家。——译者注）和路易吉·

津加莱斯（Luigi Zingales，芝加哥大学金融学教授。——译者注）合著书的书名所表明的，要"从资本家手中拯救资本主义"（*Saving Capitalism from the Capitalists*）。如果企业追求私利和利润最大化的行为对于我们所处的这个星球有益无害，那么一切就都万事大吉，然而事实却并非如此。企业行为造成了全球温暖化，引发了争夺资源的冲突，欺诈消费者，发布虚假广告，将它们的员工置于与世界其他地域廉价劳工进行竞争的境地。如果有人相信，在一个没有监管的世界里，完全基于自身利益和利润最大化的企业行为能够促进全球经济繁荣，维护良好环境，实现世界稳定，那么这个人就需要重新回到学校学习外部性（经济学术语，指一项经济决策给无关的第三方所造成的影响。——译者注）和集团行为问题。尽管政府不应越俎代庖，行使自由市场能够实现的功能，但是在自由市场内部有难以计数的问题无法指望利己性的商业企业予以解决，必然需要政府的介入，对于市场的监管或许是这些问题中最重要的一项。每当有政府官员告诉你，某个产业已经同意接受监管并决定进行自我监管时，你必须对此保持警觉。

四、我们的未来将会如何

在本书中我将对各种证据展开调查，试图找出原因，揭示美国如何陷入当前的混乱之中。我会详细验证房价的暴涨与房产市场的崩溃，因为这是我们当前所面临的金融风暴的主要诱因。不过本书的焦点将是预测这场"瘟疫"的最终影响范围。"瘟疫"这个词最早在1997年亚洲金融危机期间进入金融市场监管者的词典，进而成为流行用语，被用来形容能够波及其他市场的某个市场危机。而我在这里所指的含义则更加广泛，不仅包括金融问题，同时也包括诸如腐败之类的政府问题和贪婪之类的社会现象。尽管我的预测无法做

到个个精准，但是这些预测将有助于投资者、商业人士以及相关大众，因为他们对于未来可能发生的事情要比对过去更感兴趣。

今天众多房主共同关心的一个问题是：目前的房价下跌还会持续多久？令人遗憾的是，我认为美国到 2008 年年末为止，此次史无前例的房价动荡才进行了一半。一场经济衰退正在全美国扩散，并且我相信这将会是美国历史上最惨烈、最漫长的衰退之一。许多欧洲国家已经陷入衰退之中，而且经济状况趋于好转尚需时日。美国和欧洲主导着全球商品的需求，这也就导致了世界其他经济体，尤其是那些为欧美市场提供工业产品和原材料的新兴经济体因此受困。我想不出地球上有任何一个国家能够在这场经济下滑中独善其身。

我将描述华尔街目前正在发生的状况，此外也将利用一些篇幅探讨信用违约掉期市场，在这个规模达到 65 兆美元却完全没有受到监管的市场中，人们已经在猜测接下来要破产倒闭的是哪一家企业。之后我会论证华尔街的困境以及全球范围的信用冻结将如何给我们所处的社区、州以及当地政府的经济状况造成严重伤害。

对于投资者来说，有一个非常重要的问题是：目前的困境对于美国和全世界来说到底只是一个暂时现象，还是将更持久地发展下去？房产市场中已经产生的损失将会是永久性的，因为在可以预见的未来，不会再有任何银行会像它们曾经做过的那样，向购房者发放超过他们年收入 10 倍的住房贷款。如果银行紧缩房贷，那么房价就必然回落。并且显而易见的是，问题将远远超出房价崩溃的范围。从美国的人口构成来看，婴儿潮时代出生的人口正在进入退休年龄，这代表着美国的生产力和经济产能将受到显著影响。也就是说，当美国刚要开始从房市崩溃及随之发生的经济衰退中恢复时，又立即进入了婴儿潮退休期，而这将在接下来的数十年中继续妨碍美国经济的增长。

在如此惨烈的危机和恶劣的经济环境中，你自然很容易领会什么是现金为王。虽然很难列出一个有效投资替代方案的名单，不过我还是找到了一些令人感兴趣的替代方案。同样，尽管我无法列出足够多的国家以供投资，但至少还是有一个候选者可供选择。

这些分析都离不开对有关当局危机解决方案的理解，以及对其解决方式的论证。甚至即便在金融机构的创伤愈合之后，你也必须提出这样一个问题：整个银行业以及我们的政府到底需要进行怎样的改革？在明目张胆的交易行径从我们的政府中被清除出去之前，任何关于健康保险改革、全球温暖化，或者高药价的议题都毫无意义。在有效的院外游说改革实施之前，美国无法应对大众所面临的任何难题。必须记住，当那些腐败的政客被要求制定振兴经济的计划时，他们的打算是将 7 000 亿美元公共资金提供给华尔街那帮造成目前混乱的家伙。众多国会参众议员在选民通过电子邮件和电话传来的 95％的反对声浪中，依然投票支持这个方案，这个事实足以让你明白这些议员究竟是在为谁服务。如果就此询问我的话，那么回答将会非常不幸：他们服务的对象绝非美国劳动大众。

我将依照大众从这场危机中所得到的教训，从哲学角度为本书做出总结。如果公众能够度过这场危机，他们将会变得更加坚强，因为每个人都必将做出深刻的反思，判断他们的国家、他们的政府，以及他们自己的生活方向是否正确。从某种意义上来说，这场危机的爆发是一件好事，如果不是遭受巨大的痛苦和困扰，美国大众也许永远无法意识到他们选择了错误的前进方向。而现在，他们已经感受到了工作和住宅受到威胁的切肤之痛，那么，唯一剩下的问题就是：

他们会改变吗？

第二章　这些并非导致美国房市泡沫及其破灭的因素

　　想要了解未来，就要先了解过去。在探明美国是如何陷入当前危机境地之前，你无法预见经济的未来趋势。多年之后，当人们回首21世纪初发生的这场全球经济危机时，对于他们来说，很重要的一点就是所有这一切都始于美国的房市崩溃。

　　但是这种分析也并非完全准确，因为如果没有前面的繁荣就不可能有之后的彻底崩盘。房价连续数年的暴跌意味着之前必然有一段暴涨时期，在此期间，房价毫无理由地上升，而这正是在美国曾经上演的一幕。为了看清美国房市崩溃的必然性，以及由此导致的更多伤害，我们就有必要追本溯源，清楚地探明，在过去三四十年间，房市是怎样变得如此价超其值。

一、连续 50 年的房价上涨

　　正如美国人所熟知的，从1955年到2005年，在50年的时间里，美国的名义住房价格保持了连续增长的趋势。在1968年时，美国一栋标准住宅的售价为2万美元，而到2006年，一栋中等住宅的

价格已接近 22 万美元。这样的价格增幅并非局限于某个地域，而是在美国的东北部、中西部、南部和西部，所有这四个地域同期都发生了显著增长。

不过这还不足以说明名义住房价格在过去 50 年间的每一年都保持了持续增长。由于在同一段时期内通货膨胀率也在不断上升，所以有必要考量住房价格的增长是否高于同期整体通货膨胀率。换句话说，在计入美元购买力的削弱之后，美国住宅的平均实际价格是否依然表现出显著的上升？

回答当然是"是的"，在考虑了整体通货膨胀因素之后，美国标准住宅的实际价格在 1968～2006 年间翻了一番。在此期间，像菲尼克斯、旧金山、拉斯维加斯、纽约、波士顿和迈阿密等少数美国城市的实际住房价格更是增长了 5 倍。概括来说，房价增长最快的地域都位于美国东西两岸、拉斯维加斯，以及亚利桑那州。

住房价格的上升并不一定意味着住房价格被高估，理论上的合理价格永远都是相对的。对于住房来说，相对恰当的衡量方法应该是住宅的市场价格与重建价值之间的比较。具体来说就是住宅的价格相对于购房者的承受力，即收入的比较，或者是房价相对于替代居住方式的比较，也就是我们所说的租房。

到 2006 年时，对于住房拥有者来说非常明确的一点是，美国许多城市的房价已经远远超过了这些住房的重建价值，包括购买建房用地的成本、建筑许可申请费用，以及住宅的建设费用。2006 年加利福尼亚州的住房销售价格已经是新建一栋同样住宅费用的 3～5 倍。即便把住宅用地的高昂成本计算在内，依然很难解释全美各地相对于新建成本来说过于高昂的房价。

这种落差在房产热期间美国住宅建设行业的利润上得到了最直观的体现。事实上，住宅建设者同时也是住宅销售商，他们为了谋取利润进入这个行业，将钉子、木材、沙土等原材料转化成住宅，然后出售，因此当房价被高估时他们就能获得最大利益。在 10 年之间，美国住宅建设业每年的利润涨幅都超过 20%。在美国中西部，一栋新建住宅的建筑成本大约是每平方英尺（约 0.09 平方米。——译者注）70～120 美元。在加利福尼亚和纽约，这个成本大约为每平方英尺 200～300 美元，这主要是因为较高的人工费、原材料价格、热门的建筑地段，以及各种更加便利的设施（例如精美的橱柜或者豪华的厨房）使得住宅质量更加优良。然而，即便是这些昂贵的建筑成本也无法解释加利福尼亚、纽约，以及其他地区在鼎盛期高达每平方英尺 1 000～2 000 美元的房价。在纽约有许多公寓的价格介于每平方英尺 1 000～3 000 美元之间，而纽约的新房建筑成本就算在最拥挤的地段每平方英尺也不到 500 美元，特别是当你需要做的只不过是在一幢早已规划好的新建高楼上再追加一层的时候。

二、房价上涨的可疑之处

按照承受力标准衡量住房价格是否被高估时，最好的方法是将房价与收入进行比较。最初让我意识到美国房价上涨存在可疑之处的，就是美国近 30 年来绝大多数劳动者工资增长的停滞。对于劳动者工资没有随着美国生产力的提高而增长的根源，目前仍然众说纷纭，不过这或许是由于某些综合因素所致，其中包括全球化迫使美国劳动者不得不与墨西哥、中国、印度、越南等低工资国家的劳动者进行竞争，此外还包括技术的进步。技术进步降低了多数美国工作职位的技术含量。我遇到过一位来自肯塔基的妇女，令我惊讶的是，她在一家汽车总装厂找到了一份焊接的工作。我之所以惊讶是因为我知道她既没有焊接经验，也没接受过焊接技术培训。当她自豪地告诉我她一小时能完成 140 项复杂的焊接工作时，一切才真相大白。原来她所需要做的仅仅是每小时按动墙上的一个红色按钮 140

次，剩下的工作就全都由先进技术代劳了。在任何地方，当员工所需技能只是按动墙上的红色按钮时，他们就很难要求优渥的薪酬。

最后，一个日趋流行的观点认为，美国劳动者面临的真正问题是劳工权益从劳动者阶层向管理层和股东层的转移。由于里根革命，也由于全球化和技术进步，将劳工组织起来的任务越来越艰巨，工会成员人数出现了大幅下降。在私营企业领域，工会成员占劳工总人数的比例已经从 20 世纪 50 年代最高峰时的 35％大幅滑落到了今天的 9％。不管你如何看待工会，显而易见的是，工会的萎缩导致了劳工阶层相对于股东层和管理层的弱势。根据美国政策研究所（the Institute for Policy Studies）2008 年的报告，由于工会影响力的削弱和劳动者组织工作难度的增加，美国最大规模企业的管理层得以领取高于普通劳工收入 334 倍的薪酬。如果美国劳工现在每小时收入比他们应得的少 2 美元，那么最终将造成 4 兆美元的财富从劳工层转移到股东层手中，这恰好相当于过去这段时期内股票市场的实际增长规模。按照这种观点，在最近这些年中，企业的实际收益性增长有限，而财富从劳工层向股东层和管理层的转移却非常显著。

因此，不管工资停滞的真正原因何在，徘徊不前的工资水平意味着房价的任何实际上涨都会削弱普通美国人的购房承受力。从 1968 年到 2006 年，美国的住宅价格上涨了两倍，而实际工资水平却只有少许增长，也就是说，对于普通美国人来说，购买一栋住宅的负担增加了两倍。与此同时，名义利率自 1981 年以来出现了相应的下降，这一点对于我们的分析至关重要，我将在本章稍后再对此进行探讨。

如果你对此进行深入思考，就会发现实际房价根本没有可能翻上一番，因为美国的工资水平在此期间从未出现过这样剧烈的上升。从承受力的角度来看，假如房价相对于工资水平保持平稳，那么房价的年增长率不应该超过工资的增长水平，而实际工资的年增长率通常低于 1%～2%。

　　相关数据非常明确，1968 年时，美国一栋标准住宅的售价大约为一般家庭年收入的 2.6 倍，到了 2006 年，这个数字几乎翻了一番，接近 5 倍。这一点意义重大，因为住房支出在普通家庭的年度支出中占据了主要部分。例如，根据美国劳工统计局（the U.S. Bureau of Labor Statistics）的资料显示，2000 年度一般美国家庭的住房支出为 1.2 万美元，远远高于交通费用（6 700 美元）、缴税（6 200 美元）、食物（4 600 美元）以及卫生保健（2 100 美元）等其他类别的家庭年度支出。

　　自 1960 年以来，美国妇女的就业率发生了显著改变，从大约 32% 增长至现在的 62% 以上。在此期间，房价与普通家庭的收入比也增长了两倍，而同期众多美国已婚妇女也加入了就业大军。但是考虑到 50% 的美国婚姻最终以破裂收场，因此房价倍率更合理的计算方法应该是以美国普通劳动者的收入为基准，而非双职工家庭收入。这里就有必要重申，在此期间房价与普通劳动者的年收入比从 5.3 倍剧增至 9 倍，出现了剧烈的变动。

　　然而，即便如此突兀的数字也不足以反映全貌，因为对于普通劳动者来说，其年收入中必然有一部分不可自由支配。也就是说，只有在扣除了缴税、食物、水电费等不可自由支配部分之后，住房价格与普通劳动者的自由现金流（free cash flow，即可自由支配收入）的倍率才会更加精确。按照这个最终结论，在此期间房价相对于普通劳动者的自由现金流的倍率从 10.7 倍飙升至 2006 年的 19 倍。

　　在房产热期间，绝大多数住宅交易都是通过抵押贷款进行融资，因此可以确切地说，由此产生的自由现金流倍率规模惊人。杠杆收购（leveraged buyout）就是通过债务融资来进行企业并购。熟悉这个行业的人士已经敏锐地意识到，健康、适当的杠杆收购融资规模

应该是企业自由现金流的5～7倍，然而杠杆收购业界却因为试图进行超过其现金流10倍的融资收购而深陷泥沼。原因非常简单，在这个价格水平上，已经没有足够的现金流来支付借款的利息。同样，当你花费了相当于个人自由现金流19倍的金额购买住宅后，偿还贷款就变成了天方夜谭。我将深入探讨银行在房产热期间为何愿意向购房者发放如此大规模的房贷，不过显而易见的是，贷款利率在3～5年后将增加到2～3倍。银行对此心知肚明，但却完全无视于这一点，同意以3％的初始诱惑利率（teaser rate）向潜在购房者发放可调利率抵押贷款（adjustable-rate mortgage）。

从经济学角度来看，判断合理房价的最简单方式就是将其与获得同样住宅的其他替代方案进行比较。尽管并非十全十美的比较，不过拥有住宅的另一个替代方案是在相同街区租借一栋相同的住宅。2006年时，在拉斯维加斯、菲尼克斯、洛杉矶或纽约，租住相同房屋的成本是购房成本的20％～50％，仅此一点就已经向住房市场的潜在购房者们敲响了警钟。根据经济学与价格第一定律，在相同区域，相同用途的相同房地产价格也应该相同。购房者总是认为，他们通过购买住房而从房价上涨中获益——这一点是租房者永远无法获得的，进而试图以此来合理化较高的购房成本。然而，任何一位经济学者都可以告诉这些人，当你购买一项资产时，其价格不仅有上升的可能，也同样有下跌的可能。

当你注意到房价在一段时间内的上涨时，最让人意外的一点就是，这只不过是近年才出现的现象。罗伯特·希勒（Robert Shiller，耶鲁大学经济学教授。——译者注）在他的专著《非理性繁荣》（Irrational Exuberance）中描绘了在相当长时间段内的美国实际房价走势。他那些始于1890年的数据表明，一直到20世纪90年代，美国的实际住房价格并没有显示出具有实质意义的增长。原则上，美国的实际住房价格在一个多世纪的时间内保持了相对平稳的趋势。希勒指出，在此之后直到 2006 年为止，实际房价上涨了两倍，不过这个分析尚不够全面。

三、1981 年发生了什么

当你购买住房时，你其实是在购买两项不同的资产，一项是实际的住宅，另一项则是非常有效的避税手段，即针对抵押贷款利息的免税额度。然而实际情况却是，自 1981 年以来，由于通货膨胀率的放缓，美国人购买的第二项资产——作为避税手段的价值已经缩水。事实上，对于购房者来说，在高通货膨胀时期获得的抵押贷款利息税收减免更加划算，因为税收减免是由名义利率水平而非实际利率水平来决定的。作为购房所得第二项资产的避税手段自 1981 年以来就一直呈贬值趋势，这就意味着购房所得首要资产——住房本身价值的升值速度要远比预期的更高。尽管这是一个复杂的概念，不过这个分析的基本结论就是，在排除相应的避税手段贬值的前提下，美国房价的大幅上升并非始于希勒所说的 20 世纪 90 年代中期，而应该是 1981 年。

因此，如果我们能够探明 1981 年的特别之处，揭示在 1981 年发生了怎样的剧变，将有助于找到当初房价开始非可持续性急速上升的原因。

正如美国人所熟知的，1981 年是罗纳德·里根（Ronald Reagan）任职美国总统的第一年。罗纳德·里根开始执政时，美国银行最低利率为 21.5%，一些免税的地方政府债券收益率高于 16%。里根在试图控制通货膨胀时，一反传统经济学常识，大幅削减美联储印制发行新钞的规模，转而到债务资本市场为政府赤字寻求融资。经济学者们争论说，政府的这种借贷行为会将私营企业从债务市场中排挤出去，并导致利率上升。然而经济学家米尔顿·弗里德曼以

及其他货币学派经济学者们已经证明了，通货膨胀的最主要成因正是美联储印发新钞，如果中止这种印发新钞的行为，那么通货膨胀率和利率将双双下降。除非有谁每晚都在忙着印发过剩钞票，使商品价格受到过剩钞票的哄抬，否则任何商品都不可能出现价格上涨的现象。里根总统意识到了这一点，大幅放慢了新钞印刷发行的节奏，通货膨胀率和利率从而得以在随后的 20 年中保持持续下降。

30 年期定息抵押贷款利率从 1981 年的高位 16.5％ 跌落到了 2006 年的 5％。乍一看，这似乎就是房价自 2006 年以来飞速上升的原因。如果利率下降了 70％ 以上，由于购买住房主要是通过借贷进行融资，这就很自然会使人联想到房价也应该会上涨两倍以上。同理，利率如此显著的降低，意味着购房者基于 30 年期定息抵押贷款的首付大幅降低，从而使潜在购房者的承受力明显增强。

但是表象总是具有欺骗性。必须记住，这些利率都是名义利率。我在前面已经指出，在这段时期内通货膨胀率大幅降低。事实却是，同期实际利率几乎没有任何变化。在过去数十年间，实际利率基本上都固定在 2％～3％。如果实际利率没有改变，那么诸如住宅之类的资产价值就没有任何变化的理由。10％ 只是你在纸面上看到的名义利率，这种利率中包含了 7％ 的预期通货膨胀率，以及 3％ 的实际利率。名义利率不等于实际利率，因为投资者的购买力每年都会由于通货膨胀率而受到削弱。

因此，自 1981 年到 2006 年间，美国住房价格上涨了两倍以上，而在某些特定城市（主要集中在美国大陆东西两岸），房价更是上涨了 4～5 倍。这种价格上涨无法用收入增加、房租上涨或建筑成本增加来解释。同样，正是因为同期名义利率下降，而实际利率的变化却微不足道，所以仅凭利率无法解释房价的暴涨。在我指出房价暴涨背后的真正肇因之前，让我们先花一点时间来揭穿一些关于房产热成因的流行观点。在房产热期间，曾经有许多理论被用来为高房价辩护。美国全国房地产经纪人协会的首席经济学家就从来不认为房价存在任何高估现象，并且殚精竭虑地提出各种理由来宣扬房产热将会永远持续下去。

四、他们如何为高房价辩护

为了将高房价正当化，一个老生常谈的论调是美国土地，尤其是沿海土地的稀缺。但是当任何一个人乘坐飞机飞越美国大陆时，他必然会对这种观点嗤之以鼻。在这片辽阔的国土上，绝大多数人口集中在只占全美国土面积不到10％的都市区域。为了正当化房产热期间的高房价，专家们找出了两个不同的论点。一个论点认为美国主要城市的独特性无法在其他地域复制，而另一个论点则强调滨水地产不仅独特，而且稀少，因此无法在内陆复制。

生活在旧金山或纽约确实可以说是有所不同，然而当这些城市远高于全美平均水平的房价迫使人们迁居他处，新的都市会成长壮大，有时候甚至出现在荒漠之中。拉斯维加斯、迈阿密、菲尼克斯和西雅图就是这样的例子，这些很不错的城市都是在过去20多年的时间里，从无足轻重的小地方变成生活品质足以媲美纽约、旧金山以及世界上任何大都市的城市。尽管纽约确实有它的独特性，但是它的舒适度却并非无法在其他快速成长的新兴都市中得到复制。

至于滨水地产，尤其是在美国海岸沿线的地产具有独特性和不可再生性的论点，可以简单总结为，海岸线长度有限，无法人为延长，因此海岸线区域一旦建满住宅就无计可施。乍一看，这个论调似乎很站得住脚，不过对此也存在着两个针锋相对的观点。

首先，假如海滨区域能够建筑的住宅数量是固定的，那么这些住宅的价格又怎会在过去10年间出现暴涨？这些海滨住宅的拥有者们难道在10年前不知道海岸线的长度是不可改变的吗？因为海岸线

不会延长，海岸边的住宅当然也就没法增加，那么海岸边的这些住宅价格就应该要么依然保持 10 年前的水平，要么早就被固定在当前的这个极高价格之上。然而这两种情况都没有发生的可能。

对于海岸线固定论观点有力的反驳出现在圣迭戈（San Diego，加州最南部海岸的著名观光城市。——译者注）。圣迭戈人意识到海岸用地已经触及极限，但建筑商们并未停止开发，而是改为向空中发展。通过在圣迭戈市内及周边地区修建众多高层住宅公寓，开发商证明了一套位于 30 层楼、可以眺望海景的公寓，其价值与面朝海滩的住宅相差无几。在圣迭戈地产热的高峰期，一套高层住宅的顶楼公寓售价基本上都超过 300 万美元，这与海滩边的一栋独立住宅几乎等价。事实证明，大海的美景并非为那些在海滩上拥有住宅的人们所独享。

另外一种为美国房价高企辩护的论调将原因归咎于急剧增加的合法与非法移民。这种观点完全无视经济实情，而一味主张新移民需要房屋居住，因此他们的到来造成了住房不足，房价的持续上升正是反映了新移民的需求。然而，事实却并不支持这种论调。在过去 20 年里，美国移民的大部分都属于非法移民，他们绝大多数来自墨西哥。这些移民不是来美国购买豪宅的，他们都异常贫困，是到美国来打工的，绝大多数只是租赁而非购买住宅。随着时间的积累，他们中的幸运儿得以在美国定居并购买住房，然而这些住房大多位于较差的社区，价格低廉，而美国房价上升最迅猛的区域都集中于纽约、旧金山、比华利山、棕榈泉等城市。如果说是墨西哥移民导致了这些富裕地区房价的高企，这实在让人很难接受。

同样，还有人主张，是攀升的建筑成本和收入的增加导致了房价的上涨，但是事实却并非如此。直到最近两年之前为止，建筑成本在整个房产热期间都没有上升，而美国人的实际收入在过去 30 多年里基本上徘徊不前。

支持房价上涨的人士否认房价具有下调的可能，他们坚称房价从未出现过回落，并且房产业的问题纯属局部问题而非全国问题。正如商业不动产的首要原则为地区第一那样，房产中介和抵押贷款投资者说服了自己，房产业的低迷将永远仅限于局部地区。不过这次的房地产热却有所不同，它不折不扣地具有全国性特征，整个美国都出现了房产价格的急剧上升。虽然沿海地区的房价攀升更加显著，但是在房产热期间，美国内陆地区也同样出现了实际房价从35％到70％的阶段性上升。当导致房产热的真正根源大白于天下，并最终崩溃时，这些根源的本质也暴露出并非仅限于局部，而是遍及美国和全世界。在美国，银行贷款放松以及对利率实际效应的误解并非局限于某个地域的独有现象。

一部分人士鼓吹，由于经济态势强劲，所以房市将不会崩溃。我将在后面的章节中对经济态势进行验证，不过在这里姑且让我们先看一看所谓经济繁荣期间房价不可能下跌的说法。通常来说，经济低迷导致失业率上升，从而造成借款人丧失抵押品赎回权（foreclosures）现象增加，以及房价下跌。当某地经济萧条，比如硅谷的半导体产业或者休斯敦的石油天然气产业遭受打击、失业率上升时，丧失抵押品赎回权的现象就会呈现增加趋势，而房价则相应回落。

但是这种周期并非总是一成不变。当前的状况是，房价首先出现下跌，是房市的低迷导致了经济放缓和衰退，这种现象完全是传统房市周期的逆转。此次房价开始周期性止升转跌的原因，不是经济低迷和失业率上升，而是由于房价升至无法继续维系的高点，最终被迫进行下调所致。随后，房价下跌造成丧失抵押品赎回权现象增加，进而使不动产、抵押贷款以及银行部门内的经济活动趋缓，整个国家的经济增长放慢。也就是说，美国公众这次不需要经历经济低迷就已经领教了全国性的房价下挫。

五、自由市场不是灵丹妙药

现在，美国已经经历了连续三年的房价下挫，一些专家也开始提出全新的理论来解释这次的房地产泡沫如何形成并最终破裂。但是这些专家并没有完全保持中立或公正，许多专家是放松监管的强烈拥护者，他们相信自由市场就是灵丹妙药。不管面对什么问题，这些专家都坚称只要放松监管，加大市场自由度就能解决这些问题。在当前这种低迷局势下，他们依旧宣称，并非由于监管不足，而是监管过度导致了房市泡沫及其崩溃。

在《经济政策评论》(*Economic Policy Review*) 2003 年登载的一篇被广泛引用的学术论文中，爱德华·格莱泽 (Edward Glaeser) 和约瑟夫·吉奥科 (Joseph Gyourko) 试图利用统计学证明来揭示过度的政府管制造成了美国许多城市的房市热潮。他们的论文一开篇就直接指出，购房行为同时意味着对三种不同资产的购买，它们分别是：实际的房屋及其建筑成本；房屋下面的土地；以及合法开发利用这片土地的权利。住宅用房建在专门划分的住宅专用区之内，并且在开始施工之前必须首先取得相应的建筑许可。这篇论文的两位作者利用统计学方法发现，用来建设房屋的土地价格与这座住宅的附属土地的价值之间存在着极大的落差。

这两位学者于是得出这样的结论：由于存在着严格的规则和僵化的用途划分，个人被禁止开发利用其房屋周边土地，因此造成了这些土地价值的缩水。然而这两位作者却没有意识到，他们所做研究中的那些低价土地的平均面积不到 0.1 英亩（约 0.6 亩。——译者注），这样的面积并不足以修建住宅。真实情况是，这两位学者虽然统计出了面积庞大的未开发土地，但这些土地都是零碎分散，无法进行建筑利用的小块土地。他们因此不当地得出结论：是政府的管制阻碍了私人住宅附属土地的开发利用，因此政府要为无法增加新房供给，并因此产生持续的房产泡沫负责。事实上，这两位学者的统计数据已经表明，这些零碎土地因为面积太小而无法进行利用，因此政府管制与这些土地得不到开发之间毫无关联。假如这两位学者的结论属实，那么比华利山的房主们将不得不允许在他们房前的草坪上建满拥挤不堪的小户型住宅。

大银行和完全自由市场理论的辩护者们找到了两个新的观点，来宣扬银行并非房产泡沫及其破灭的元凶。这些辩护者们举出一项名为《社区再投资法案》（the Community Reinvestment Act）的政府法规，以此作为房市泡沫及其破灭的罪魁祸首。美国国会通过的《社区再投资法案》要求，在贫困社区开展储蓄业务的银行同时也必须向这些社区提供贷款。《社区再投资法案》非常有效地推动了大型商业银行向贫困社区发放贷款，尤其是促进了向首次购房者提供的抵押贷款，提高了这些贫困社区的住房自有率。贫困社区的住房自有率已经被证明是实现社区安定的重要工具。

批评者们将房产泡沫及其破灭归咎于《社区再投资法案》，指责这个法案使众多本来不应获得财政融资，从而无法负担自购房的贫困和中产阶层美国劳动者得以购买自有住宅。他们主张，正是这些购房者最终违约拖欠了抵押贷款。

然而事实却完全和这种说法相反。虽然贫困和中产阶层美国劳动者确实是在当前房市低迷期间最先开始拖欠抵押贷款，但是这种现象不足为奇。从经济状况来看，中产阶层和贫困住宅拥有者在偿还抵押贷款时本来就没有太大的回旋余地，当他们遇到麻烦时，没有足够的金融资源可供利用，以支持他们继续偿还房贷。当一个富人失业时，他通常总会有充裕的存款来继续偿还房贷，或者可以打个电话给朋友或父母来筹措所需要的资金。而一个穷人就很难如法炮制。因此，不论《社区再投资法案》是否存在，在房市低迷期间，

低收入阶层通常总是首先开始拖欠房贷，这一点在房市周期中早已为人们所熟知。

但是，更重要的一点是，在美国国内，房价上涨最显著的地区并非《社区再投资法案》所针对的贫困社区。房价大幅飙升都发生在美国那些最富裕的城市，像旧金山、纽约、迈阿密、棕榈泉、棕榈滩（Palm Beach）等，而非人们所以为的贫困街区。统计数据表明，在 1997 年，这些城市拥有最昂贵的住宅，并且在随后的五年间保持了最快的房价上升速度。1997 年时平均房价为 10 万美元的美国城市，在其后五年间出现了 20％～25％ 的房价上涨，不过这相对于那些更加富裕的城市来说依然显得黯然失色。那些在 1997 年时房屋均价为 25 万美元的美国城市，房价在其后五年间累计增长了 65％。统计数据令人意外地有悖于公众的直觉，那些在 1997 年房价最高的城市，其住宅价格并没有向平均值回归并出现下降趋势，而是不断加速增长，其上升速度要高于那些房价相对低廉的城市。显然，《社区再投资法案》无法解释这种现象。现实情况是，在过去 15 年间，美国的私人住宅拥有率提高了三个百分点，而在这三个百分点中，有一个百分点存在着违约风险。在全美范围内的次贷违约率接近 20％，从而将整体抵押贷款违约率推升至 9％。新增私人住宅拥有者略高的违约率代表了大约 100 万违约件数，但是在未来两年内这个数字有望达到 600 万，并且这些违约中的绝大多数都是由于可调利率抵押贷款的复位而出现在较好的社区。

企业的维护者们辩称政府的过多介入和监管才是导致房市泡沫及其破灭根源的最主要依据，正是房利美和房地美的例子。房利美和房地美都是享受美国联邦政府对其负债进行幕后担保的私营企业。这种担保即便藏于幕后，也足以使房利美和房地美在资本市场上进行抵押贷款的收购和包装上市业务时，要比那些纯粹的私营竞争者拥有更大的优势。毫无疑问，在相当长的时间里，政府对于房利美和房地美的协助极大地阻碍了抵押贷款重售市场的健康发展。但是，指责政府的幕后担保导致了房市崩盘则属于夸大其词。

原因在于，在房产泡沫最繁荣的数年中，房利美和房地美却不得不在一旁袖手旁观。2003 年 4 月，我出版了与房市有关的第一本著作《即将到来的住房市场危机》。在这本书面世的一周之内，《华尔街日报》在最后一版登载了关于这本新书的详细书评，并且焦点正是讨论我对于房利美和房地美的过度债务杠杆化和不当运营的忧虑。尽管这本书赢得了较高评价，并一度登上全美畅销书排行榜第三名，但我无法确定有谁读了这篇书评，或者看过我的书。不过在这本书出版三个月之内，美国政府的监管部门，其中包括美联储开始了对房利美和房地美的严格调查。在一年之内，房利美和房地美先后被揭露出规模达数十亿美元的会计违规，最终导致这两家公司撤换了各自的首席财务官和首席执行官。作为政府调查的结果，房利美和房地美的资产增长遭到了冻结，此外还必须处置各自资产负债表上大约 2 000 亿美元的抵押贷款资产。也就是说，从 2003 年至 2007 年，房利美和房地美几乎置身于抵押贷款收购并将其列入自身资产负债表的业务之外，而这段时期也正是最近 30 年美国房价上升最快、商业银行向购房者发放贷款最积极的时期。因此，房利美和房地美即便要为泡沫的发生承担一定的责任，却并没有为这场泡沫的继续扩大推波助澜。

到此为止，我已经解释了那些并非导致美国房市泡沫及其破灭的因素，接下来，我将解释真正的成因到底是什么。

第三章　导致美国房市泡沫及其破灭的因素

美国房市泡沫及其破灭的真正根源并不单纯，而在于过去30年间整个体制所滋生的腐败。追本溯源，泡沫破灭的首要原因是抵押贷款的过量发放和银行的过度自信，假如政府没有被收买而放松监管，某些特定群体也没有被训练成为了利益不择手段的人，将他们的财富、地位以及个人的道德底线置于风险之下，那么现在这样的大崩盘本来不可能发生。

一、购房者的选择

通常来说，当某人为一项资产支付了过高金额时，这位资产购买者（在此就是购房者）理所当然应该受到指责。然而实际情况却是，现实生活中的许多购房者是在利用别人的钱，而不是他们自己的钱。众多学术界人士认为，在房市泡沫期间，是美国住房购买者们的非理性行为不断推动了房价的上涨。但是如果认真验证的话，却又很难确定个人住房购买者的行为有何不当之处。

让我们暂且假设你在拉斯维加斯的赌场玩轮盘赌。不知什么原

因，转轮盘时，小球连续 50 次都落入了黑格之中，这就和美国房价一直到 2005 年为止，连续 50 年保持上涨有着异曲同工之妙。现在，假如我问你是否愿意在下一盘继续下注，我相信你会愿意继续，并且还会在黑格上押下一笔不算小的金额，因为你心里已经明白，这个轮盘赌台一定出了什么故障，导致球只能落到黑格里面。那么如果我作为这家赌场的老板告诉你，你可以先用庄家的钱来下注，并且不需要事先支付任何现金，只要签一张金额不限的支票，而我又早已通知你由于《破产法》的规定，赌场很难兑现这张支票。如此一来，我相信你不仅会使用庄家的资金来下注，而且一定会押下大笔赌注。实际上，赌场方面提供了对你绝对有利的选择，假如轮盘赌的结果再次为黑，你会大赚一笔；如果是红，那你只需拒绝兑现支票，一走了之即可。在这种保证只赢不输的赌局中，合理的选择永远是押尽可能大的赌注，有时甚至远超过你的全部身家。

以上这个比喻正是美国住房拥有者的选择，在见证了住房价格连续 50 年的上涨之后，或许对于他们来说，在第 51 年房价不再继续上涨的可能性微乎其微，不过这些人对此却也并不在意，因为他们运作的都是别人的资金。许多人的购房资金百分之百都来自他们的抵押贷款中介商的融资，在进行这些交易时，购房者没有注入新的资本。另一些购房者则依靠 90％～95％ 的高额债务杠杆来进行交易，在进行这些交易时，购房者通过在房产热期间出售已有的住房来使自身资本获得担保。这些购房者其实全都是在用"庄家"的钱进行交易，并且清楚一旦结果对自己不利，大可以拍拍屁股一走了之。在当今这个时代，拖欠这样的借贷并不会让谁觉得有损颜面，他们唯一会担心的是因此对自身财务信用造成的损害会持续多久，是否会妨碍他们再次贷款购买新的住宅。

二、银行的改变

仅仅证明购房者在房产热期间行为的合理性并不足以解释房价为何扶摇直上,只是将这个疑问又向前推进了一步。如果购房者自己的钞票并未承担风险,那么银行又为何甘愿发放如此大规模的资金去协助人们购买被严重高估的住房?

银行和抵押贷款机构没能尽责地限制购房者贷款购买被高估的住房,这是房市泡沫产生及其最终破灭的主要根源。虽然银行有无数理由发放如此大规模的贷款,协助购买价格高昂的住房资产。然而其中最显而易见的原因就是银行业在过去30年间所发生的巨变。银行不再像从前一样,首先根据信用做出贷款决定,然后将贷款做成抵押资产,并一直将其保留在账面上,直到被偿清为止。自从华尔街于1984年开设了抵押传递市场(mortgage pass-through market),银行和其他抵押贷款发放机构就得以协商抵押贷款的种类,决定购房者能够支付的住房价格,并将抵押贷款资产转卖给华尔街的投资者。传统上,银行对于发放贷款总是持慎重态度,因为当你购买住房时,由此产生的抵押贷款资产将要在银行的账面上驻留30年。可是现在,个人的抵押贷款资产在银行账面上几乎很难停留30天。

抵押贷款资产能够被银行出售并不一定意味着,对于这些抵押贷款资产信用度的担忧就可以消除。抵押贷款资产的购入者们深知,这些需要持有一定年份的抵押贷款资产存在着巨大的风险。然而现实却是,抵押贷款资产的投资者们(主要是外国政府和养老基金)在对抵押贷款资产进行收购时,要比人们所想象的更加草率。对于将众多不同抵押贷款资产打包销售而造成的抵押贷款金融产品的复杂性,它们并没有雇用统计学者和内部专家来进行详细的分析论证,这些专家们本来可以计算出合理的利率，以及这些抵押贷款组合的提前回收率和违约率。抵押贷款资产的投资者们对卖给他们这些金融产品的投资银行言听计从，作为一种心理上的安慰，他们又过度依赖各种评级机构。不过真相却是，和这些向自己贩卖抵押贷款资产的投资银行和商业银行，以及信用评级机构结盟的做法只不过是在自作多情。投资银行和商业银行通过转售这些金融产品获得了数千亿美元的收入，并且它们早已直接向评级机构支付费用，使它们所创造的任何一种证券都能够被评为 AAA 级。

大约从 1997 年开始，银行和其他抵押贷款发放机构发觉自己加入了一场向需要贷款的购房者发放条件更加宽松、数额更加庞大的竞赛之中。你也许会质疑，为何管理严密的银行在明知当前业务的过度扩张终将导致未来亏损的情况下，依然甘愿加入这场竞赛？答案正是由于今日美国以及全球范围内的许多行业的本性所致。对于像银行、保险公司和航空公司这样，甚至可能拥有长达 30～50 年长期资产和负债的行业，它们的资产和负债周期经常要超出现任管理层的任职年限。

所谓资本主义制度，理应奖励优秀管理者，并且惩罚失职的管理者。能够降低产品成本的管理方式通常总能赢得更大的市场份额和更多的利润，而与此相对，糟糕的管理可能导致企业亏损甚至倒闭。但是对于某些特定的长期资产行业，这个原理却并不一定适用。这些企业所管理的资产和负债的周期非常漫长，因此现在做出的错误决策有可能在数十年内都不会反映在企业的现金流和收益上。很多时候，在其恶果影响到企业的收益报告和资产负债表之前，当初做出错误决策的管理人员早就已经卷铺盖走人了。作为一个现成的例子，我们可以回顾一下美国汽车业的管理层在数十年前是如何接受了工会提高工资和福利的要求。这些管理团队早在高昂的退休和医疗计划成本产生影响之前，就已经将他们的优先认股权售出套现。

对于拥有正常期限资产的普通行业来说，即便有某个竞争者愚蠢地以低于成本的价格销售自身产品，也很少会有竞争者愿意跟随其后。因为在这类行业中，过于大胆的竞争者会因为以过低的价格销售产品，而最终造成自身财务状况入不敷出，从而很快破产。然而对于银行这种以长期资产为主的行业来说，竞争对手们却能够以零首付、只付利息，或负摊还按揭（negative amortization mortgages，贷款者在一定年限内支付的利息低于平均水平的一种金融创新产品。——译者注）等形式进行疯狂的业务扩张，从而赢得更多的抵押贷款业务。即便你能够意识到这样的金融产品所伴随的风险，但是如果你拒绝参与，那么结局也许就是：面临破产威胁的将会是你本人，而非你的竞争对手。没有任何人会因为在发放抵押贷款时过于大胆而立即破产，事实上，反倒是胆大妄为的竞争者们往往能够争取到更多的客户，获得更多的业务，占有更大的市场份额。只有在相当长时间之后，由于过度扩张所带来的实际经济损失才会影响到企业利润，让企业感觉到压力。这时，我们就几乎可以断定，其他那些曾经争相效仿这种大胆行为的竞争对手也遭到了同样的打击。

自由竞争市场的体制结构无法有效适用于以上所说的这种长期资产行业。并不是只有开展抵押贷款业务的银行会面临这种困境，保险公司和航空公司也存在着同样的问题。比如航空公司在制定规划时总是不得不以非常低廉的收费来开设一条新航线，而为这些新航线所设定的收费标准往往没有涵盖全部实际损耗和维护成本，以及整个航空公司机队的实际长期运营成本。你可以在一段时间里，依靠低廉收费支付航油成本，使航空公司运营下去。但是，假如要在提供低价服务的同时，又要确保足够的资金以保障机队的维护和更新，那么这将是一项异常艰巨的挑战。

三、银行所犯的错误

银行和其他抵押贷款发放机构于房产热期间，在住房领域过度发放贷款时犯了一个关键性的错误。在通过一系列数据考核贷款申请人的信用资格时，这些银行优先考虑的，仅仅是基于申请人的第一年收入而制定的资格验证公式，而没有试图检验 10 年期或者 30 年期抵押贷款的成本，并将其与申请人同期的收入进行比较。而且，银行将整个决定发放贷款额度的程序简化为以申请人申报的当年收入为基准。传统上，银行的放贷额度大约为申请人当年收入的 2.3 倍，任何超过 3 倍以上的额度都被视为过高。然而到 2006 年时，全美普通新购房屋中，来自银行部门的融资金额已经超过了业主年收入的 5 倍。就在这一年，圣迭戈市的平均房价相当于居民平均年收入的 11 倍。虽然并非所有购房交易都依赖银行借贷，但是其中有许多交易是百分之百通过抵押贷款融资来进行的。

对于这种放贷金额与申请人当年收入之间差距拉大的现象，银行方面的人士或许会进行辩护，认为这完全是由于过去 27 年间名义利率的大幅下滑所致。但是我在前面已经指出，抵押贷款的名义利率从 1981 年的 16.5％滑落到 2006 年的 5％，这种大幅下滑完全是名义上的，同期的实际利率基本上保持不变，维持在 2.5％～3％的范围之内。导致利率下滑的唯一因素是相同的通货膨胀下降比率。实际上，从现金流的角度来看，根本就没有发生过任何变化。按照正常的逻辑，银行或者理智的银行界人士本来不应该调高相对于申请人当年收入的贷款额度。

在 1981 年，偿还相当于一个人年收入 3 倍的房贷并不困难，因为当时的整体通货膨胀率接近每年 13％。这就意味着由于全部商品的价格上涨，个人的工资水平也相应地依照通货膨胀率每年上升

13％，同理，住房价格也会依照购买力而同样上升13％。如此显著的工资上涨，再加上大幅上升的抵押房产的名义价值，就确保了这些房贷能够得到偿还。因为一旦出现任何问题，抵押房产能够保证借贷人无须违约，只要将这些资产出售并还清房贷即可。

而到2006年时，通货膨胀率只有2％，银行放贷金额却高达个人当年收入的5～11倍，这就导致银行收回抵押品赎回权的可能性增加。因为首先，整体经济中极低的通货膨胀率意味着只存在实际工资水平的上涨，而缺少通货膨胀性工资上涨来促进房贷的偿还。其次，作为抵押品本身的房产的价格也由于通货膨胀率而增幅有限，所以房价的上涨同样仅限于实际房价的上涨。在这种情况下，你会发现，不仅房贷本身出现麻烦的可能性陡增，而且，一旦个人收入因为某种原因减少，由于住房拥有人的抵押房产价值无法继续高于当初所借取的房贷金额，发生违约的比例将会因此暴涨。

这是一个复杂的概念，我不确定众多银行现在对此是否已经了然于心，但这却正是此次房产泡沫形成及其之后大崩溃的根源所在。在1981年那样的高通胀时期，银行对于购房者的房贷发放极其谨慎，因此创造了创纪录的抵押贷款偿付率、极低的违约率和丧失抵押品赎回权现象。而到2006年，当通货膨胀率和利率双双下降时，银行向同样的购房者发放了过度的贷款，向他们提供太多资金用以购房，而与此同时，这些购房者既享受不到通货膨胀的好处，他们工资水平的上涨幅度也不足以促进房贷的偿还。

银行暨投资领域人士在抵押贷款市场所犯的最后一个错误是，他们依赖美国住宅不动产行业历史上较低的丧失抵押品赎回权发生率，认为未来的丧失抵押品赎回权的发生率也不会显著增长。当这些人士对于未来可能出现的最坏情况进行预估时，他们预测丧失抵押品赎回权比率可能会增加5％～10％，最多也不过是15％。但是这些人士从来没有想到，未来并非过去的重复。他们本应自问，万

一房价暴跌，那么在理论上，丧失抵押品赎回权的比率将会受到怎样的影响？他们的那些低违约历史记录是来自于一个房价在 50 年里持续上涨的市场。一个显而易见的事实是，假如从你获得房贷的那一刻起，你的住房价格每年都在上涨，那么一旦遇到还贷困难，你只需卖掉自己的房子，还掉贷款，留下结余金额即可。

但是，如果将上述情况放入一个房价正在下跌的场景之中进行验证就会发现，房价下跌意味着，对于抵押贷款尤其是最近签约的抵押贷款来说，住房价值变得低于所获得的房贷金额。在这种情况下，住房拥有者会倾向于拖欠房贷，任由银行收回住房，而不是试图出售住房，并承担由此产生的亏损。因此，2006 年和 2007 年，房市从持续上升状态急转直下，开始进入下跌态势，丧失抵押品赎回权的上升速度不再是 5％或 10％，而是呈现爆发性的增长，这正是我们在现实中已经目睹的真实现象。当前丧失抵押品赎回权以及拖欠房贷的比率分别从房产热时期的 0.2％和 2％升至抵押贷款总量的 9％以上，次级房贷的违约和拖欠率更是高达 19％。这不再是当初所想象的 5％或 10％的违约增长率，而是整整 500％的违约和拖欠增长率。我可以向你保证，极少有银行在它们所做的最坏情况预估分析中，预测到了如此触目惊心的违约率。

四、是道德沦丧还是遗传本能

我并不想让大家以为在这场泡沫形成与破灭的房市周期中，购房者们就没有任何应该受到指责的地方。尽管有些人赞同购房者在上升势头强劲的房市热潮期间，因为明知当房市下跌时自己可以一走了之，所以尽可能多地借取房贷，并利用对自己最有利的选择押下最大赌注。但是也有另外一些人将当前这种状况归咎于道德的沦丧。美国大众曾经从他们的父辈那里听到过许多类似的故事，都是关于他们的父辈如何在遭遇困境时借钱度过危机，然后在接下来的数十年中努力还清借款，以维护自己的名誉。我相信这些先人会为今天许多购房者的行径痛心疾首，因为当这些购房者选择逃避还贷义务时，他们心中算计的只是自己能否减轻损失，以及将来的信用度会受到怎样的影响。许多购房者在签署贷款合同时，忘记了那上面签署的是他们家族的姓氏，他们的父亲和母亲的姓氏，而这本来是奠定美国伦理道德的重要一环。你一定想知道，这些购房者的长辈们对于他们后代这种背信弃义，损害商业伙伴，使其蒙受损失的所作所为会做何感想。

还有许多专家主张购房者陷入了类似庞氏骗局的陷阱之中，因此无法采取理智的行动。房产泡沫的本质就是参与者们决定加入赌局，举债购房，进行炒作以获取巨额利润。这些利润并非虚幻的泡影，而是实实在在的真金白银。在房产热期间，假如你打算置身于这场庞氏骗局之外，那么你就将受到惩罚，不得不站在一旁眼睁睁地看着炒房者们赚取巨额利润，最终住进豪宅，拥有各种汽车、游艇，并且四处度假，这也正是庞氏骗局的诱人之处。在一场庞氏骗局中，获利并非虚幻，而是货真价实的，因为这么多人都能在庞氏骗局中赢得大量利润，所以它总是显得真实有效。但是就如一场完整的庞氏骗局本身那样，所有的好事情都会有结束的时候。如果你指望通过买一套索价过高的住房来获利，那么就需要有一个愿意支付更高价格的、更笨的家伙来让你脱身。如果这个更笨的家伙不出现，你就会被套牢。当情况有变时，变化总是瞬间即至。许多人之所以明知房价有泡沫，最终仍没能将房子脱手而被套牢，就是因为他们自以为是，相信自己能够在最高点位时抽身而出。可是这些人没想到，最高点一旦触及，出售的窗口立即就会被关上。换种说法，当房价在某一天攀上创纪录的历史高位时，由于此时流动性的消失，在这一天几乎不可能将手中的房子卖掉，也就是说，你找不到买家。

这也就是房价开始下跌的原因。每个人都盘算着坚持到最后一分钟再把房子卖掉，可是却都没有想到，等到了最后一分钟，根本就找不到任何买家。

另一个促使购房者们迁入更贵更大房子的动力，就是对于身份和地位亘古不变的追求。对于地位的追求是一种强烈的遗传欲望，它并不仅限于人类。从进化学的角度来看，许多物种都会为地位而进行争斗，从而获得更多的交配机会。人类，尤其是美国人对于这种古老的遗传竞技更是得心应手，极尽所能。我们很难找出合理解释来说明，为何一对美国父母在孩子已经长大离家后依然想住在1.2万平方英尺（1 114平方米）的超大房子里，或者拥有四五辆汽车。这些如果不是为了身份和地位，还能是为什么？并且事实也显示了，住房并非由于地位追求者们的需求压力而大幅升值的唯一资产。从1976年到2004年间，总体消费者价格指数增长了3.3倍，同期房价上升了5.5倍。而其他受到身份和地位追求者们追捧的奢侈品价格涨幅甚至还要更大。一条75英尺（23米）的哈特勒斯摩托艇的价格从1976年的21.4万美元飙升至2004年的450万美元，上涨了21倍。而同期，一架西科斯基直升机的价格上涨了6.9倍；一辆新罗尔斯·罗伊斯汽车的价格上涨了8.7倍；大都会歌剧院的两季入场券上涨了9.8倍；哈佛大学一年的学费上涨了6.8倍。显然，对于身份和地位的追求并不仅限于住房的面积。

对于身份和地位的追求也可以解释为什么在此期间，美国最高级、最昂贵地区及城市的房价上涨最快。与其说人们花钱住进高级社区是为了更好的教育或景观，还不如说是为了跻身没有多少人能够负担得起的上流社会圈子。你不可能指望在这些高级住宅区租个房子就能被上流社会圈子接纳，你必须是一名住宅拥有者。维持这些富人社区超凡脱俗状态的最佳途径，就是将房价推升到一个令人难以企及的高度。

五、完美的链条

对于此次房市泡沫的产生和崩溃，我相信有一个部门起到了比银行和其他抵押贷款发放机构更加关键的作用，而这个作用就是纵容银行和抵押贷款发放机构在扩展业务时为所欲为。这个部门就是美国联邦政府。自从 1981 年的罗纳德·里根总统革命以来，自由市场机制被视为可以解决一切问题的灵丹妙药，而任何可能阻碍完全自由市场体制建成的东西，诸如规则等，都被视为十恶不赦。迪克·切尼副总统和乔治·W·布什总统也继续秉承这个新自由主义教义，而他们的美联储主席艾伦·格林斯潘更是这种信仰的最大支持者，他甚至将这种理念的始作俑者艾茵·兰德（Ayn Rand，1905—1982 年，俄裔美国哲学家和小说家，以宣扬完全放任的自由资本主义闻名。——译者注）的理念当做福音来研究。

毫无疑问，在像秘鲁和埃及这种需要花上六个月才能从政府得到许可开展新业务的国家，政府管制可能有损于企业的发展和经济的健全。但这并不意味着所有的管制都是错误的。那些反对管制的人们忘记了一点，那就是任何健康的自由市场经济都建立在规则与监督之上。没有监管就不会有自由市场，资本主义自由市场的根基是法律规则、审判制度、财产权的保护、契约以及商业欺诈的杜绝。撤销所有的市场监管只会鼓励不法之徒，因为这将导致再无执法者来防范欺诈与偷盗。当美国金融业开始致力于去监管化时，银行就等于打开了金库大门，并且告诉银行警卫，里面所有的钱都能够自我保护，平安无事。这显然荒谬至极。正如我在本书第二章所指出的，对于长期资产行业来说，完全竞争无法激励深思熟虑以及合理的价格与市场，只会催生不合逻辑甚至疯狂的价格。没有监督和管理，任何事情都有可能发生。

在不动产热期间，潜在购房者们雇用不动产中介商来为自己购房，然而他们最终却发现，这些不动产中介商更感兴趣的是购房回扣而不是为客户争取一个合理的房价。由于高昂的费用，以及不动产中介商之间激烈的竞争，再加上只有竞买成功的购房者才会支付中介费用，这就导致情况完全颠倒，潜在购房者雇用的中介商怂恿购房者支付比正常房价更高的金额。这虽然降低了购房者的回报率，但是却确保了不动产中介商的收益。

假如这一套还不能奏效，那么不动产中介商会去找一个所谓的中立房产评估人，来说服你和银行，考虑到这处房产的固有价值，你所支付的是个不错的价格。然而事实是他们之间的关系并非各自中立，不动产中介商一般都会打电话给评估人，告诉评估人他必须说服购房者接受银行融资的金额。实际上在第一个电话结束时，评估人就已经暗示了不动产中介商，他们将按照被要求的价值来进行评估。就这样，在预设结论之后，房产评估人只需以房产市场上价格被高估的最新交易为依据，无视替代参考性，在分析报告中得出数倍于租借成本以及工资收入的数据。房产评估人就这样魔术般地变出恰好使交易达成的价格。

接下来，按揭经纪人制作申请表以争取银行为购房提供融资。如果按揭经纪人知道你在申请表上所申报的收入达不到银行的贷款要求，这也不成问题，按揭经纪人会擦掉你在申请表上填写的数字，并写上一个新的收入数字，有时甚至会达到你最初申报收入的两倍。尽管这是彻头彻尾的欺诈，然而没有人会来查你的收入，并且由于绝大多数这样的按揭经纪人现在都已经破产，所以这种欺诈或许永远都不会得到清查。

事情并没有到此结束。银行虽然最终向个人客户发放了抵押贷款，不过由于《格拉斯－斯蒂格尔法》(*Glass-Steagall Act*，也称为《1933 年银行法》。该法案禁止银行包销和经营企业证券，只能购买由美联储批准的债券，令美国金融业形成了银行、证券分业经营的模式。——译者注）于 1999 年被废除，商业银行被允许自由经营投资银行业务，这就使它们得以将个人抵押贷款与其他贷款打包，然后在世界范围内为这些合并证券寻找买家。虽然银行拥有最优秀和最聪明的分析员，可是当银行在向全世界的大型投资机构进行介绍时，他们却不会向客户说明当房价下跌时这些抵押贷款潜在的违约风险。这些分析员只会避重就轻地告诉他们的潜在客户，传统上丧失抵押品赎回权的比率都不高，而不说明一旦房价开始下跌，丧失抵押品赎回权的比率就会爆发性增长。

精明的机构投资者们并不会完全相信这些银行的说辞，它们会雇用它们认为立场中立的顾问，来调查那些它们有意购买的抵押贷款证券的资质和信用度。在商业评级业内只有三家机构，它们分别是标准普尔（Standard & Poor's）、穆迪（Moody's），以及惠誉国际（Fitch）。令人吃惊的事实是，这三家评级机构都受证券发行方而非购买方的雇用，来调查发行证券的资质级别。有时它们为一项抵押贷款担保证券进行评级，甚至会收到 5 000 万美元的费用。我唯一能够想到可以比喻这种事情荒谬性的例子就是，假设我打算卖给你一辆车，你说你想先找个中立的第三方来检查这辆车子的性能和机械状况，于是我说服你不要自己去聘请一位修车技师，而是找我那个据说是修车技师的妹夫来看看就行了。向评级机构支付数亿美元的费用，让它们卷入复杂的抵押贷款金融产品的交易体系之中，这不仅破坏了金融交易的可信度，还会导致整个体系的最终失控，而这些现在已经成为事实。最后，没有收入、没有工作，也无法提供任何可课税收入记录的申请人的 BBB 级次级贷款被打包合并在一起，尽管每个单独抵押贷款的级别都是 BBB 级，但是这样的合并证券中的 65％～70％却被评为了 AAA 级。一个 AAA 级证券本来意味着极低的违约率，并且即便出现违约也能得到高比例的赔偿，通常这个

比例是 95%。不幸的是，这些在世界范围内出售的 AAA 级抵押贷款证券遭遇了高违约率，最终许多本来具有优先份额的债务抵押债券被迫转售，转售价格有时甚至低于其面值的 60%。

六、这一切如何发生

接下来就是问题的关键。为什么不动产中介商能够与中立房产评估人相互勾结？为什么按揭经纪人能够篡改房贷申请表？为什么商业银行能够在其出售的金融产品的资质问题上撒谎？对于这些谎言，为什么评级机构能够推波助澜、为虎作伥？为什么所有这一切都能够在缺乏政府干预与监管的情况下发生？我相信，对于这些问题的解答不仅有助于揭示此次房市泡沫形成及其破灭的根源，也将解决今日美国所面临的众多主要困难。这个答案就是：美国房地产经纪人协会、美国抵押贷款银行业者协会、美国银行家协会、各主要投资银行、最大的对冲基金、私人投资公司，以及房利美和房地美等，所有这些组织都是美国政府最大的游说者和竞选资助人。这些组织每年花费数亿美元来推动政府解除对于它们那些违法行径的规制和监管。它们每年向美国人推选出来的议员捐赠数亿美元的竞选经费，理所当然其中也包括美国总统，以确保没有任何人能够妨碍它们在这个国家四处布下的规模庞大、利润丰厚的庞氏骗局。

我相信今天的美国已经濒临分裂的边缘，50% 的美国人依然没有意识到院外集团对于美国经济和这个国家的伤害，而另外 50% 的美国人虽然知道这一点，但却放弃希望，不相信这一切可以得到控制。院外集团势力不仅导致了一场房市泡沫的形成及其破灭，而且还在华盛顿竭力阻止解决方案的制定，看一看美国现在所面临的主要困境就会明白这一点。对于医疗保健和人为的高昂药价问题，美国医学会（American Medical Association）、美国药品研究与制造商协会（Pharmaceutical Research and Manufacturers of America）、健康维护团体（HMO），以及医疗业院外集团都卷入其中。如果你正在为高油价而烦恼，华盛顿最大的院外游说集团正是石油天然气行业游说集团和汽车业游说集团；如果你的忧虑是全球温暖化，那么电力院外游说集团，包括爱迪生电力学会（Edison Electric Institute），以及煤炭业游说集团都属于深藏不露的院外集团；如果你正为社会保障和医疗保险步履蹒跚的改革步伐感到沮丧，那么就不要忘了是美国退休人员协会（Association for the Advancement of Retired Persons，AARP）在从中作梗。你想知道美国为什么要花上七年时间去攻打一个像伊拉克那样的第三世界国家，并要找到奥萨马·本·拉登吗？那就去思考一下，美国的军火业从军事预算中获利数千亿美元，而与此同时，前线士兵和退伍人员及其家属却所得无几，当他们从战场上回来时也没有得到良好的待遇。仅在 2007 年一年，美国院外游说集团的花销就高达 28 亿美元（塔伯特，2008）。

关于院外游说集团的问题，在本书最后的部分会再做讨论，我将试图找出解决这个问题的途径，而我们也必须解决这个问题。此次的房市危机已经导致美国和整个世界陷入了全球性银行系统崩溃的边缘。这场危机将引发一场伴随着失业、经济倒退等无数痛苦的世界性衰退。但是没有一本书会向你描述这场可怕，但本可以预防的危机给众多因此失去住房、难以为继的家庭所带来的苦难。在目睹这场大崩溃所带来的惨烈后果之后，我不会再愿意待在一个拒绝进行改革以防止灾难再次发生的国度。

第四章 从次级向优质传播的抵押贷款疫情

现在，每个人心中的问题都是：这场房市崩溃将会于何时结束，事态又会恶化到何种地步？到目前为止，局面已经进入了毁灭性的状态，因此现在就可以问：最糟糕的阶段是否已经结束，艰难的日子是否已经离我们而去？

让我们先来回顾一下，到目前为止形势是如何的惨烈。1929 年股市崩溃时，全美所有公开上市交易公司损失了约 300 亿美元的市值。而自 2006 年初房市开始崩溃至今，美国股市已经损失了大约 6 兆美元的市值，这几乎相当于股市总市值的 40％。即便在考虑通货膨胀因素之后，这个损失依然远高于美国大萧条时期的水平。

当我在描述自房市崩溃爆发以来的这场"大屠杀"时，对于那些一般性特征的解说很容易让人误以为我是在谈论美国大萧条。事态的严重程度已经显而易见，我们不能忘记的是：

• 两家合计资产高达 5.3 兆美元的世界最大企业已经被美国政府国有化。

• 美国最大的五家投资银行中，已经有三家停业。

- 美国的绝大多数抵押贷款中介公司已经倒闭。
- 英国第八大银行倒闭并被国有化。
- 美国最大的储蓄与贷款机构已经破产。
- 全世界各中央银行，包括美联储和美国联邦住宅贷款银行(Federal Home Loan Banks)，已经注入超过4兆美元的新增货币来试图拯救商业银行和投资银行。
- 美元相对于欧元贬值了将近40%。
- 黄金升值了几乎200%。
- 全世界人口最多的国家——中国开始紧缩银行贷款。
- 冰岛和乌克兰需要世界货币基金组织（IMF）的紧急贷款来避免破产。

一、目前的损失只是冰山一角

当然，你可以自己选择是否承认这是一个可怕的时代。

从爆发之初开始，这场房市危机就被称为次级房贷危机。所谓次级房贷就是指发放给信用不良者的住房贷款。贫困和中层借贷人在面临还贷困难时，由于自有资产水平较低，所以在房市低迷时总是成为首先开始违约的群体。从公关角度来看，把这场危机的根源归于那些信用记录不良的贫穷美国人，将会对银行比较有利，然而这却并非此次房市危机的真正原因。美国房价增幅最大、住房最需要进行价格调整的地区都是最富裕城市的豪华街区。到目前为止，绝大多数违约都限于次级贷款，但是这仅仅表明此次房市低迷还没有接近尾声。在目前的这个阶段，次贷不良率已经达到19%，并且优质贷款现在也开始出现违约，全美整体抵押贷款的违约率正在接近9%。

美国的次级抵押贷款总额大约为 1.3 兆美元，这只不过是 12 兆美元抵押贷款总额的一小部分而已。在信用等级上高于次级贷款，但低于优质贷款的贷款类型被称为次优级贷款（Alt A mortgage），总额达到 5 000 亿美元。这类贷款中的绝大部分是所谓的"忍者"贷款（NINJA loans），所谓"忍者"是指贷款人没有收入，没有工作，没有贷款申请。也就是说，信用度较高的客户在无须提供任何工作、收入证明，基本上也不需要申请的情况下，就可以很快从银行获得融资，购买住房。这些贷款现在刚刚开始以相当大的规模发生违约。房贷经纪人替这些贷款申请伪造收入证明，以便较容易地获得融资许可。

　　此外，目前还存在着约 1.5 兆美元的可调利率抵押贷款（ARMs）。由于这部分贷款的初始诱惑利率非常低，有的甚至低至每年 2%，所以现在也极有可能出现违约。在经过两年到三年之后，这部分贷款的利率已经根据市场行情调高，有的几乎接近 7%～8%。可调利率贷款的发放始自 2004～2005 年间，而现在利率正好开始恢复正常，这就导致了违约现象的大量发生。由于银行在之后的 2006 年、2007 年和 2008 年间继续发放可调利率贷款，因此这个问题将不会很快有结果。

　　如今，金融市场上还有 5 亿美元所谓的"另类抵押贷款"（exotic mortgages）。这类贷款包括：无本金抵押贷款（interest-only mortgages，在约定期限内只偿付利息，之后再偿付本金的贷款。——译者注）、选择支付贷款（option-paying mortgages）和反向抵押贷款（reverse-amortization mortgages，将自有住房折股抵押给银行或其他金融机构，再按月从银行获得摊还款。——译者注）。这类贷款也由于具有较低的初始诱惑利率，所以同样具有极大的违约风险。然而与可调利率抵押贷款不同的是，这类贷款通常的利率回归期限相对于可调利率贷款的 2～3 年要更长一些，一般是 4～5

年，因此另类抵押贷款的利率回归现在才刚要开始，这将使 2009～2011 年期间的违约率显著上升。

不幸的是，这样的数字还在继续上升。例如美国抵押保险公司（MGIC）、PMI 集团（PMI Group），以及瑞迪安集团（Radian Group）这种规模较小的单一私人抵押贷款保险公司已经承保了大约 1.2 兆美元的抵押贷款，其中包括许多具有高违约风险的二次抵押（second mortgages），这些二次抵押都是购房者在第一笔抵押贷款的基础上，为了支付部分首付款项以及更多的购房款而再次借取的贷款。举例来说，假如你买了一套 100 万美元的住宅，并为此先后从银行借了 80 万美元和 20 万美元的贷款，当这套住宅的价值下跌到 70 万美元时，你就不得不违约，这就可能导致这笔贷款的债权人和对此进行承保的私人贷款保险公司失去一切。

更复杂的是，市场上还有 4 兆美元以上的债务抵押债券（CDO），其中许多是以美国的抵押贷款作为担保的。有超过 4 200 亿美元的债务抵押债券掌握在美国的商业银行和投资银行手中，但是这些债券作为特殊投资工具（Special Investment Vehicles，SIV），并没有记入这些银行的资产负债表。

那么债务抵押债券又是什么呢？所谓债务抵押债券就是指被证券化后合并在一起的抵押贷款，这种债券还被划分成不同等级，等级较高的债券拥有优先分红权，等级较低的债券则必须在去除由于住房抵押贷款违约所造成的损失之后才能参与分红。通常，很多 BBB 级的低等级房贷被合并成一个证券。由这些债务抵押债券所产生的获利会首先支付给优先级债券持有人，剩余分红再支付给次级债券持有人。通过这样的程序，商业银行和投资银行得以将 BBB 级证券转成 AAA 级。尽管美国的债务抵押债券中有大约 75% 属于高等级，然而这些 AAA 级债券所依托的抵押贷款却都是 BBB 级。

由于杠杆工具的介入，同时也由于其结构的复杂性，以及所依托的抵押贷款等级仅为 BBB 级而非 AAA 级，因此许多作为二次抵押证券的债务抵押债券最终将各大银行拖入了困境。各商业银行和投资银行的债务抵押债券所造成的损失还只是冰山一角，因为这些银行只是这些证券的发行者而非购买者。当房市开始崩溃时，虽然这些银行账面上还剩余一些未售出的债务抵押债券，但是银行手上所持有的多为 AAA 级的最优先等级证券。尽管这些 AAA 级证券价值已经缩水 30％～40％，不过其贬值程度与那些次级证券相比还是小得多，这些次级证券的缩水率高达 90％～99％。而银行的客户手中却持有大量这样的次级证券，其损失程度至今不明。商业银行和投资银行属于上市公司，有义务将其资产以市值计价并按季度报告损益，因此到目前为止，它们的绝大多数亏损都已公之于世。反观这些银行的投资者，主要是外国主权财富基金、养老基金以及市州政府基金的代理机构，它们却没有如此严格的申告义务，因此至今未承认它们在抵押贷款，尤其是债务抵押债券投资上所发生的巨额亏损。

二、房利美和房地美的救助成本

作为全世界最大的美国抵押贷款持有者和担保者，房利美和房地美持有或担保了约 5.3 兆美元的美国房贷。但是由于它们各自的股价都下跌了 95％，现在已经被美国政府接管。我们对此产生的疑问是：美国政府的这种救助行动将会耗费纳税人多少税金？当美国国会此次投票通过议案，授权美国财政部接管房利美和房地美时，国会预算局推算潜在损失在 0～250 亿美元之间，而为美国财政部提供建议的摩根士丹利专家则认为这个数字有可能高达 500 亿美元。为了救助房利美和房地美，美国政府已经为这两家机构各发行了 10 亿美元优先股，并且这个数额视情况将可能扩大到 1 000 亿美元。

更为严重的是，即便这2000亿美元的数目也大大低估了房利美和房地美在美国抵押贷款市场上所遭受的损失，以及美国纳税人为此需要支付的税金。基于这两家机构账面上的1.6兆美元抵押贷款，以及另外3.7兆美元抵押贷款担保，它们将要遭受的损失规模也许难以计算，保守估计为6000亿美元，并且这个数额很有可能达到1兆美元。

首先，你或许以为房利美和房地美所持有房贷投资组合的违约率会低于某些大型商业银行，因为房利美和房地美应该只能投资于有限额的抵押贷款。这意味着假如申请房贷总额高于限额，你就无法从房利美或者房地美获得贷款，而目前的房贷限额为41.7万美元。因此，理论上，房利美和房地美都被排除了针对高地价地区的高价住房进行投资的可能性，而正是这些房产的贬值风险最为显著。

其次，房利美和房地美以前就已经遇到过麻烦。2003年时，这两家公司爆发了会计弊案，它们的首席执行官和首席财务官都遭到解雇，监管部门坚持冻结了两房的资产负债表，停止了新增资产的谋取，这两家公司各被要求剥离大约2000亿美元的抵押贷款。那次干预使房利美和房地美于2003~2006年，在房市热最疯狂的时期安于本业，没有加入追逐房贷抵押债券产品的行列之中。事实上，两房与许多在此期间发行的可调利率贷款、选择支付贷款和反向抵押贷款失之交臂。此外，由于两房同期都在忙于剥离资产，因此并未持有太多于2003~2006年期间出现的最疯狂，也最为昂贵的房贷产品。

虽然如此，房利美和房地美并非没有承担任何风险。两房至今依然没有公布它们所卷入的所有另类房贷的实情，两房甚至宣称它们拥有的这些投资组合没有遇到任何麻烦，因为它们并不打算将这些投资组合拿到市场上出售，而是一直持有到期，如此一来，两房就避开了对于它们拥有的这些另类房贷投资组合的季度性亏损报告。

然而现在已经有传闻称，两房总共持有约 7 000 亿美元的另类房贷，到目前为止，这些房贷已经出现了少量亏损，并且根据各银行的经验，这些房贷投资组合的亏损将会越来越显著。

房利美和房地美对房贷市场的参与受到限制并不一定完全是好事。尽管这意味着两房对于像比华利山和棕榈泉这类高地价地区不动产的介入程度有限，但另一方面也表明两房的主要客户都是中产阶层。中产阶层聚居区的住宅不会出现美国沿海富裕城市那样的大幅度增值，因此中产阶层的违约率相对来说也高得多，因为这个阶层的购房者一旦失去工作，就缺少继续偿还房贷的其他途径。并且，美国的惯例一向就是，每当失业率攀升时，首当其冲的受害者总是中产阶层。

尽管房利美和房地美依然没有公布它们迄今为止所遭受的巨额损失，不过这一切即将改变。两房之所以得以回避申告亏损的义务，是因为它们的权益账面价值（book equity）很少超过最低监管额度标准，当然很多时候这都是靠在账目上做手脚实现的。一旦两房的资产以市值计价的话，它们的权益账面价值就会归零。对于像房利美和房地美这样的亏损企业来说，其监管资本（regulatory capital）内包含的数百亿美元税损结转（tax carry loss forwards，税法上为了冲抵本年度经营亏损而允许的未来年度的免税额度。——译者注）纯属虚构资本，并不能算做它们的真实资产，这就好像你必须先有真正的利润，然后才谈得上避税一样。

如今，美国政府已经事实上将房利美和房地美国有化了，损失的幅度甚至将会进一步扩大。之所以会出现这种状况，是由于美国政府正试图利用两房来消除抵押贷款的信用危机。美国政府向购买新房的购房者提供了条件更加宽松的住房融资，以刺激对于新建住宅的需求，并且这项举措将进一步持续下去。但是这同时又会造成更大的损失。此外，正如美国联邦存款保险公司（FDIC）针对最近

破产的印地美（IndyMac，位于加利福尼亚州的美国第二大房贷银行。——译者注）所采取的行动一样，美国政府很可能会非常宽容地重新调整那些发生问题的房贷。虽然将那些购房者借取的初始诱惑利率为3％的可调利率房贷调整为利率4％的30年期固定利率房贷并不一定符合商业规则，但是却有助于将损失从房利美的账面以及美国纳税人的眼前掩盖起来。在私营资本市场上贷款利率为7％的情况下，发放利率为4％的30年期贷款的做法并不恰当，但这将有利于美国政府重建秩序。

考虑到两房所承付的5.3兆美元规模房贷，我们很容易预见房利美和房地美的损失总额可能超过6 000亿美元。而这些房贷背后的住房资产总值接近9兆美元，或者说"曾经"接近9兆美元，现在的市场价值大约为7兆美元，并且有可能正在向6兆美元缩减。但是，由于并非所有与房利美和房地美有关的住房都完全被杠杆化，因此两房的实际损失要远低于购房者所遭受的损失。如果完全从经济角度对美国纳税人为救助两房所付出的成本进行计算的话，包括弃置费用和美国政府提供的低廉利率在内，美国纳税人为救助房利美和房地美所支付的总成本将有可能超过1兆美元。

三、下跌远未结束

美国房市及房贷崩溃造成的最终损失数额将会异常巨大，到目前为止，这场崩溃在世界范围内已经给金融业造成了约5 000亿美元的损失。美国抵押贷款市场的总规模要超过12兆美元，美国住宅不动产总值在2005年高峰期时达到24兆美元，这都是令人难以置信的数字。1兆美元如果分成100万美元一袋的话，需要100万个袋子才能装完，这同样是一个令人难以置信的数字。

在全美范围内，迄今为止，住宅不动产的价值已经贬值大约

20％，在某些城市更是平均贬值35％。这种贬值给购房者造成了接近5兆美元的损失。我个人推测这场崩溃最终给购房者带来的损失将超过8兆～10兆美元。当然这与美国抵押贷款市场的总体损失率会有所出入，因为一部分购房者所利用的杠杆率不是太高，而另外一部分人的住房则完全为个人所有，不需要申请房贷。也就是说，在过去10年间，众多购买了新居或者为现有住房重新融资过的美国人当中，有许多使用了大规模的房贷杠杆工具。我相信当这场危机结束时，全世界的投资者和银行将会因为美国抵押贷款市场崩溃而承受将近2兆美元的损失。如果目前企业只承认了这2兆美元损失总额中的5 000亿美元，那么你就不难得出结论，前面还将有异常艰难的局面在等待着我们。

因此，从宏观角度来看，美国房价的下跌还远未结束。我们在此对于抵押贷款总量的简单测算，以及对于不同种类抵押贷款的理解有助于我们做出最终结论：虽然令人震撼，但是最坏的局面或许仍未到来。

第五章 美国房价何时触底

　　此次美国房价最终跌落至谷底时的价位大约将是 2008 年年底美国房价的一半。我们在这一章将对这一预测的真实性进行验证。

　　不管在什么地方，典型的房价下跌一般会持续 5～7 年。由于美国以前从来没有真正经历过全国性的房市崩溃，因此这个结论来自于在美国不同城市曾经出现过的地区性房市低迷的经验。旧金山、硅谷和波士顿等地以往的经验表明，当半导体和高科技产品市场出现萧条时，房价也会应声下跌。休斯敦的住宅不动产也曾经出现过同样的价格滑坡，不过那是由于石油天然气产业的萎靡所致。纽约和洛杉矶在整体经济放缓，投资银行和商业银行不景气时也出现过不动产贬值的现象。在过去的这些实例中，住宅不动产的实际价格一般需要经过 5～7 年才会重新恢复到原有水平。我之所以用实际价格一词是因为，如果年度通货膨胀率为 5％，而你的住房价格却保持不变，那么就意味着你住房的实际价格下跌了 5％，因为当这一年结束时，你的购买力缩水了 5％。这一点至关重要，因为通货膨胀经常会造成不动产之类资产实际价值的贬值。而现在，名义房价的下跌迅速在全美各地蔓延开来。在接下来的 1～2 年里，房价下跌的势头

将得到缓解，之后还将持续 2～3 年的名义房价平稳期，在此期间不动产的实际损失将隐藏在通货膨胀背后。也就是说，到目前为止已经下跌了 20% 的房价，在未来 1～2 年内还将继续下跌 6%～8%，之后虽然会停止下跌，但是在接下来的 2～3 年时间里依然无法赶上通货膨胀率。

一、房价下跌仍将持续

住宅不动产的低潮期一般需要 5～7 年才能结束，这一点不足为奇。但是为何大众需要经过 5～7 年的时间才能重新恢复对于住宅不动产价值的接受度呢？科学研究已经证明，在股市中，当收购之类的消息公布时，交易员们在两分钟之内就能准确地判断出公司股票的实际价值。购房者和不动产中介商并不愚蠢，其实他们也能像专业交易员那样，只需要两分钟而非 5～7 年的时间，就能对某些情况做出正确判断。

对于以上疑问的解答其实非常简单。答案就是：当不动产市场出现下滑时，没有人真正知道局面将会恶化到何种程度，谷底将会在何时出现。假如每个人都认为房价一定会下跌 30%，那么这样的下跌幅度在第一年就会实现。而现实情况是，房价在房市转入低迷的第一年里仅下跌了大约 8%，在这一年里依然有部分活跃的买家在进行交易，这表明并非每个人都相信房市的低迷状况将会更加严重，并持续上 5～7 年。在一场长达 5～7 年的房市低迷期间，任何新加入的买家都必须坚信，最糟糕的时候已经过去，房价下跌已经结束。然而迄今为止这些新购房的买家全都是做出了错误的判断。在过去三年间，每个购买了新房的购房者都由于不断在全美各地蔓延的房价下跌浪潮而立即遭受了损失。不过在某一个转折点上，房价将会止跌回升，在此时决定购买住房的买家将会英明无比，实现每一个人都梦想做到的事情：在房市成功抄底。这里有一些统计数据或许有助于我们判断美国住宅不动产市场的谷底将会于何时出现。

此外还有一个指标显示美国房价尚未触底，仍然存在下调空间。现在全美房价已经下跌了 20%，在旧金山、菲尼克斯、拉斯维加斯等城市，房价更是下跌了 30%。即便如此，2008 年年底美国的房价依然与处于房产热期间的 2004 年年初的房价持平。也就是说房价回落到了升值前 2～3 年的 2004 年和 2005 年的水平。所以，如果主张美国不动产市场已经触底，那么就要先证明，与当前美国住房价格相当的 2004 年的美国房价处于一个合理的水平。

但是，2004 年时的美国房价真的合理吗？正如在前面章节中已经指出的，美国实际住房价格的上涨始于 1981 年，而指数式的飙升则始于 1997 年。并且，这场最终无法维系的价格上涨的首要原因在于疯狂的银行借贷和这些银行发行的各种类型奇特的抵押贷款。绝大多数类型奇特的抵押贷款的发明与上市都始于 1997 年。到 2004 年时，银行已经以非常荒唐的房贷形式发放了数额巨大的资金，因此，主张 2004 年时房价合理的说法无异于天方夜谭。很难想象今天的银行仍然会像它们在 2004 年时那样咄咄逼人。

当前银行的贷款条件是揭示不动产价格何时触底的关键之所在。理由非常简单，即便你打算出售自己的房产，也要先找到有支付能力的购买人。大多数购房行为都得到了银行通过抵押贷款形式提供的资金支持。如果银行拒绝向你住房的潜在购买者提供资金，那么这位购买者显然就很难承担购房费用。在房产热达到高潮时，银行曾经愿意提供高于个人年收入 6～11 倍的融资以供购房，然而从现在开始，银行将只愿意提供相当于个人年收入 4～5 倍的住房贷款。这样只需要进行简单的计算就会明白，许多住房的价格必须贬值 50% 才能吸引新的购买者。换句话说，除非购房者愿意支付大比例的首付款，否则你将不会愿意冒险出售。

自从我关于住房和抵押贷款市场的第一本著作——《即将到来的住房市场危机》问世以来，已经引起了诸多对于住房价格合理性的关注。今天的专家们使用复杂的数学模型来试图解析当前房价的昂贵程度。现在全美的房价水平依然远远高于住房的替代成本。一栋位于加州中部、造价低于20万美元的住房，在2006年房市泡沫高峰时的售价要高于70万美元，如今某些地区的房价已经下跌了40％～50％，这些房屋现在的售价为32万美元。然而，即便32万美元的售价也依然超过这些住房的替代成本。虽然为住房资产制定合理价格是一项非常困难的挑战，尤其是在像加利福尼亚这样需求旺盛的地方，然而即便在住房价格已经下跌了40％的情况下，依然没有人能够确定房价不会再继续下跌。

同样，当专家们研究了全美房价，并将其与同类住宅租金、个人收入等参照物进行对比之后，他们中的许多人得出结论认为，美国今天的住房价格依然被高估了20％左右。虽然这并不是说，由于相对于买房，租房更加划算一些，因此购房率就会直线下降。但是这些研究主张，当前这场房市下跌尚未触底，因此有理由认为，2008年年末，我们还只是处于房市继续下滑的途中而已。

即使某位购房者能够承担高房价，他也会考虑这样做是否值得。前面已经指出，在一个持续繁荣的房市中，购房者理所当然应该购买尽可能大的住房以获取最大化的房价增值回报。在一个房价保持上升趋势的市场中，如果你确定房价每年都会上升20％，那么从逻辑上来说，为了得到双倍的回报，你会更愿意拥有一栋价值100万美元，而不是50万美元的住宅。

可是这样的好日子已经结束，现在大众终于明白，房市跟其他市场一样，有涨就有落。那些存款微薄的家庭在房产热期间相信房价会继续上升，于是希望购买价格相当于自己家庭收入5～10倍的住房。现在，因为对房价的期望值已经变得实际了许多，所以购房者就没有理由在住宅不动产上进行过多的投资。理财多样化理论建议，一个年收入 10 万美元，存款也为 10 万美元的家庭，在住宅不动产上的合理支出应该是 2 万～3 万美元，而不是许多家庭所投入的 50 万～100 万美元。并且这里需要说明的是，这个数额指的是住房的总价值，而不是融资部分。

公众对于住房资产的投资行为发生了剧烈的改变，虽然他们不会搬入价值 3 万美元的住房，但是公众现在已经意识到，为了合理配置投资，他们不应该再将住宅不动产投资最大化。简单地说就是，购房者现在已经明白，不动产价格也有下跌的可能，不动产并非万无一失的取款机，或者退休金账户。因此现在的购房者会更倾向于选择价格较低的小房子，而非那些耗资百万美元的豪宅。

二、买房不等于投资

在相当长的时间里，人们将住宅不动产视为一种投资手段。原因当然是由于连续 50 年直线上升的房价和极高的回报率。可是如今，在一个变得正常许多的世界里，住房的实际价格不再能够确保继续上涨。我个人预测房价在未来的 4～5 年间将会进一步下降。如果住房价格无法确保在未来将会上升，那么在住房投资上的回报就只能来自于出租收益。因此如果你在从事购买住房并将其出租的行当，那么你其实可以将这种方式视为一项投资选择。

然而那些只拥有一套住宅并自己居住的人就无法获得任何出租收益，这就相当于他们因为自己居住而花费了本来可能得到的出租收益。对于这些购房者来说，实际情况是没有任何来自于房屋出租的现金流，也就不存在任何投资回报。因此，一个显而易见的事实就是，那些主要用于自住的住宅并不是投资，而纯粹是一种消费。有一个简单的例子可以证明这个事实。

假设你住在圣迭戈海滩边的一栋价值 500 万美元的房子里，现在你打算换一栋远离海边，面积也小一些的价值 100 万美元的住房。你将出售第一栋住房所得款项中剩余的 400 万美元用于投资不动产，这样你的消费就从 500 万美元降到了 100 万美元，而你的投资则增加了 400 万美元。也就是说，自用住宅完全属于消费。价值 500 万美元的住房意味着更多的卧室、卫生间、浴室，更大的游泳池，或者离海滩更近，当然也就比你新买的价值 100 万美元的住房舒适许多。但是这些额外的舒适度属于纯粹的消费，如果你自己住在这样的房子里，更大的游泳池和卧室都不能视为投资。由于你的居住，你其实自己消费了这些舒适度每年所带来的升值。

因此，那些把购买更大更贵住房作为投资选择的购房者们现在应该醒悟过来，意识到自住房并非真正的投资，而完全是消费。从投资角度出发，为了获得更高的回报率，这些购房者应该缩减在自住房上的花费，避免额外的住宅不动产支出，而将资金投入其他非不动产投资项目。这种认识一定会对房价产生实实在在的影响，不仅会限制银行借贷，从而不利于购房者为住房支付高额资金，而且购房者自己也将主动削减在自住房上的投资规模。

本书第十六章将分析是否存在其他因素促进美国对于较大较昂贵住房需求的下降。也就是说，此次的房市崩溃、房贷和银行危机，以及随之而来的经济衰退将会让许多美国人意识到，以大规模消费为主的生活方式并不值得夸赞。我并不认为美国人现在已经意识到了这一点，因为蒂芙尼（Tiffany）和奔驰的销售依然火爆。公众终究会意识到他们的生活可以变得更加安定，前提是他们选择更多的储蓄、更多的投资和较少的消费，尤其是借贷消费。这种觉醒同时也会削减未来自住房的购买量，因为购买自住房的行为实际上属于消费。

三、房贷违约将大规模出现

另一个显示美国房价下跌趋势尚未停止的指标，就是抵押贷款中的丧失抵押品赎回权现象。2008年年底，绝大多数发生丧失抵押品赎回权的房贷都始于2005年、2006年或2007年。这似乎有违我们的直觉，最新发放的抵押贷款却最早开始出现违约。我之所以说有违直觉是因为，当你进行一项投资时，通常意味着你对于这项投资的可靠性已经进行了充分论证，并且一项投资一般需要经过一段过程才会出现不良状况。

不过这种情况并不适用于房市滑坡时的抵押贷款。理由非常简单，当房价出现下跌时，最新发放的抵押贷款也最先开始缩水。我们来看一组真实的数据。

拉斯维加斯的平均房价已经从最高峰时的33万美元跌落到了2008年年底的22万美元。最近这些年来拉斯维加斯的房价上升非常显著，从2004年的24万美元到2005年的27.5万美元，再到2006年的30.5万美元，最后到2007年的33万美元。为了便于说明，我们姑且假设拉斯维加斯的房产交易不需要任何现金首付，完全通过抵押贷款来进行，那么逻辑上2007年发放的最新房贷自然会首先出现违约现象。因为当房价下跌时，2007年购买的住房将首先出现价值缩水，这些住房的市场价会低于其所承担的抵押贷款数额。接下来你将预期2006年发放的抵押贷款出现违约，然后是2005年，就这样一直延续下去。对于这种规则的唯一例外是传统上购房者在申请房贷的同时也会支付首付款，因此较早发放的房贷也就拥有更强的自有股本作垫（equity cushion）能力。然而抵押贷款的这种自有股本作垫能力现在却很难实现，原因在于许多购房者对其住房进行了再融资，将杠杆率利用到了最大限度，并且尽可能迅速地取出他

们为购买住房支付的现金。这些人不再为他们的住房注入自有股本，而是将那些本应用做股本的资金拿去购买汽车、游艇，或者度假。

然而，如果到目前为止丧失抵押品赎回权现象多发生于 2005 年、2006 年和 2007 年发放的抵押贷款，那么那些在 2005 年之前发放的抵押贷款情况又会如何呢？只要房价继续下跌，这些房贷同样也会出现大规模的违约。因为当人们所拥有的房屋价值缩水，导致承担的房贷总额高于住房总价时，他们通常会选择中止偿还贷款。也就是说，如果房价继续下跌，那么 2004 年、2003 年、2002 年，以及接下来的年份所发放的抵押贷款同样会出现高于住房总价值的现象。

我前面已经说过，相对于普通美国人来说，富裕的购房者中违约率以及出现丧失抵押品赎回权的比例要小一些，这是因为富裕的购房者拥有更多获取资金的途径和手段。如果富裕阶层的人们遇到失业或者疾病，他们通常并不会因此拖欠房贷。同样正如前面已经指出的，不动产牛市大多数都发生在美国那些房价上升最快的富裕城市。美国房价飙升最迅猛的东西两岸和亚利桑那与拉斯维加斯并不能代表美国的绝大部分地区，然而这些高房价地区的住宅不动产总值却相当于全美住宅不动产总值的 40%。那些认为当前的房价下跌只会对次级借贷人产生不利影响的专家们，并不认为富裕购房者阶层也会因此在抵押贷款上出现违约现象。但是，事实却并非如此。

理由很简单。假设你在圣巴巴拉（Santa Barbara，加利福尼亚南部的濒海观光城市。——译者注）拥有一栋价值 100 万美元的住宅——事实上，在 2005 年的房市最高峰时，圣巴巴拉的平均房价接近 70 万美元。你为你的房子申请的是可调利率贷款，或者选择支付贷款，那么现在你的月偿还额度也许已经翻了一番，这可能是导致你违约的最主要因素。

但是即便你为自己在圣巴巴拉购买的住宅申请的是 30 年期、

6%固定利率的房贷，你仍然存在着违约的风险。想象一下当你清晨起来，走出你在圣巴巴拉的住宅，到前面草坪上捡起当天报纸时的情景。你看到的将会是什么？在你住的那条街上，10栋房子里有5栋插着"出售"的牌子。更糟糕的是，这5栋里有3栋是银行收回后正在减价抛售的房子。对此，一个令人惶恐的分析是，假设这条街上所有的房子都没有什么差别，而上个月刚刚售出的一栋房子的价格是50万美元，你立刻就会意识到，你所拥有的不再是一栋价值100万美元的住宅，而是一笔100万美元的贷款。你这栋住房的市值现在只有50万美元，相对于你那笔100万美元的贷款，出现了剧烈的缩水现象。那么你还会继续偿付这100万美元的房贷吗？你会愿意为了这栋价值50万美元的住宅而继续支付100万美元的房贷吗？我并不这样认为。在有些州，房贷偿还不仅限于抵押住房，银行可以追讨债务人所拥有的其他资产，因此富裕购房者的违约行为比较难以付诸实施，并且传统上富裕阶层的人们更注重保持良好的信用。破产对于富人来说并非现实的选择，因为他们总是会拥有价值不菲的其他各种资产。但是，我个人认为，一个明智的富人不会为了一栋价值50万美元的住宅而向银行支付100万美元的房贷和利息。

如果我是正确的，那么此次的房市低潮才刚刚开始。因为这些位于富裕街区的高价房代表了银行发放的抵押贷款中的很大份额。由美国中产阶级引发的次贷违约规模平均为10万～15万美元，而加州海岸线边上的不动产和纽约市上东区的公寓住宅所融资的抵押贷款轻轻松松就超过了100万美元。考虑到这类借贷人的良好信用记录和巨额财富，银行或许应该理智地找出办法，调整房贷债务的结构，以避免银行资本遭受损失。但是即便这样的调整也只能将问题的爆发暂时推后，将损失延迟而已。如果银行因为担心发生违约而以低于市场行情的利率将100万美元贷给某位客户，这意味着银行其实创造了一种新的固定利率资产，并且根据定义，这项资产的实

际价值低于其票面价值。在一个年利率为 7.5% 的市场中，一笔年利率为 5% 的 100 万美元房贷的实际价值只相当于 70 万美元，而不是 100 万美元。银行或许认为自己避免了这笔 100 万美元房贷可能带来的 30 万美元损失，但实际上却给它们未来的收益造成了负面影响，这笔损失的未来现金流的折现值正好是 30 万美元。

四、房价跌幅最大的城市

在 2006 年，我撰写了关于房市泡沫的第二本书《现在就卖！住房泡沫即将终结》，在这本书中我大胆地预言房价将会下跌 25%～30%，在某些沿海城市，价格甚至会暴跌 45%～50%。我甚至制作了一张详细的表格，列举了美国最大城市 2005 年年底的平均房价，然后预测了每个城市的房价下跌幅度。考虑到目前全美房价已经下跌了约 20%，那些情况最严峻的城市甚至已经下跌了 30%，并且房市的滑坡才持续了 3 年，而我对于这场房市下滑的预测是 5～7 年，因此我仍然坚持我当初对于各地以及全美房市所做出的预言。姑且让我按照那个表格对一部分城市的房产价值和预期下跌规模做出总结，这将有助于你确定你的住房以及你所在的城市还将继续承受多久的房市低迷。

不过我不会将整个表格贴在这里，而是从表格中引用一些例子，教你如何对你所在的城市进行计算。以 2005 年年底的房市最高峰为准，下跌幅度最大的城市是加利福尼亚州的圣巴巴拉，在 2005 年年底，圣巴巴拉标准住宅的平均房价为 67.1 万美元，而预测实际房价下跌幅度为 59.6%。圣迭戈紧随其后，预测下跌幅度为 58.7%。事实上，当初我预测下降幅度最大的 20 个城市里面有 17 个位于加利福尼亚州，其中包括圣何塞（San Jose）、圣克鲁斯（Santa Cruz）、斯托克顿（Stockton）、洛杉矶、旧金山和里弗赛德（Riverside）。在当前加州房价已经出现剧烈下跌，某些地方跌幅甚至达到 30％～35％的情况下，当初所预计的令人难以置信的 45％～59％的价格跌幅现在看来合情合理，并且有可能在未来 3～5 年的时间里成为现实。

在表格中，佛罗里达州的萨拉索塔（Sarasota）、迈阿密（Miami）、墨尔本（Melbourne）、迈尔斯堡（Fort Myers）、代托纳比奇（Daytona Beach）、奥兰多（Orlando）和杰克逊维尔（Jacksonville）全部被预测将出现 35％～45％的房价下跌幅度；波士顿预计跌幅是49％；纽约和北新泽西跌幅为 44％；亚利桑那的图森为 27％；美国中西部的大城市如圣路易斯（St. Louis）、麦迪逊（Madison）、威斯康星（Wisconsin）和堪萨斯城（Kansas City）的预计下跌幅度则均为高峰期的 22％～23％。尽管在表格中没有任何城市的房价会出现上涨，但是犹他州的普罗沃（Provo）和亚拉巴马州的蒙哥马利（Montgomery）显示了 3％的最低跌幅。表格中有大约 25 个城市，从克利夫兰（Cleveland）到斯克兰顿（Scranton），再到印第安纳波利斯（Indianapolis）、布法罗（Buffalo）、代顿（Dayton）和盐湖城（Salt Lake City）的下跌幅度全都小于 10％。这些城市即便在房市泡沫期间也从来没有出现过实际房价的上涨，只是维持与通货膨胀率相当的水平而已。

某个城市在房市泡沫期间没有出现不同寻常的价格上涨，并不表示这个城市的房价就不会在房市崩溃中出现下跌。你也许认为这些城市的房价在房市泡沫期间依旧保持了合理水平，然而房市崩溃、丧失抵押品赎回权现象的蔓延，以及随之而来的全国性经济衰退和失业率上升都会导致这些城市的房价下跌，即便它们在房市泡沫期间从来没有出现过剧烈上升。

五、为什么是 1997 年

对于各个城市房价下跌幅度的预测以及这个表格的制作都是基于一个基本假设，即这些城市的实际房价都将跌回 1997 年的平均水平，不过在名义价格上则考虑到通货膨胀因素的影响，以现在的货币价值水平表示。为了推测这对你的家园意味着什么，以及你所在城市的平均房价还将下跌多少，你需要尽量回想 1997 年的房价水平。你可以将自己的住房作为推测基准，不过为了使统计数据更加精确，你应该以你所在城市的平均标准住房作为基准。比如，你现在所居住的住宅价值 50 万美元，或者至少在 2006 年房价高峰期时价值 50 万美元，你想了解这栋住宅由于房市崩溃而可能出现的贬值幅度，那么你需要做的就是计算这栋住宅在 1997 年时的价值，再将 1997 年到现在的通货膨胀率加入之后即可得出结果。让我们假设你的住宅在 1997 年时的售价，或者预计售价为 25 万美元。为了计算出这个金额的现值，你必须根据通货膨胀率来对其进行调整，也就是将其乘以 1.3，这意味着 1997 年时的 25 万美元相当于 2008 年的 32.5 万美元。这种计算方式所设定的是：你所在城市的房价将跌落到 1997 年时的实际水平。你的住房尽管在房价最高峰时价值 50 万美元，但是现在只值 40 万～42.5 万美元。而等到房价止跌时，你的住房价值将回到 1997 年时的水平，也就是约 32.5 万美元，实际价格中减少的 17.5 万美元占最高峰时 50 万美元的 35%。这个简单的计算过程可以套用在美国任何城市的任何房产上。

为什么 1997 年如此神奇？为什么我要选择 1997 年作为房价回归的基准年份？我已经指出过，回顾美国实际房价在过去 120 年中的变化，在头 100 年里，实际房价变化平缓，但是从 1981 年开始实际房价出现上升趋势，然后在 1997 年至 2006 年间，美国房价出现了指数式飙升。尽管房价回归到 1997 年的水准并不意味着所有住房的实际价格都会将自 1991 年以来的增长一笔勾销，但是这至少能够让我们从 1997 年到 2006 年那种银行在缺乏监管的条件下肆意发放大规模房贷的疯狂状态中解脱出来。此外，1997 年也是可调利率贷款、选择支付贷款、无本金抵押贷款，以及其他另类贷款开始推出的年份。

如果说美国所有城市的房价都会回到 1997 年的水平，并不意味着全美所有城市的住房价格将变得相同，旧金山的平均居住成本总是高于布法罗。有许多因素决定了这种价格差异的产生：例如天气、饮食业、景观等。我们无法一一验证导致美国各地房价差异产生的所有因素。不过，与其努力验证每一项单一价格，还不如利用住房的市场价格来作为其真实价值的代表，但考虑到房市泡沫的影响，最近这些年的市场价格并不准确，而 1997 年的价格就要正常得多。

一部分专家试图通过与平均收入做比较的方式来预测全美各大城市的房价。旧金山居民的收入的确要比纽约州布法罗居民的收入更高，但这并不能解释旧金山的房价为什么会更高。从长期来看，房价与收入的关联有限，因为即便你的收入更高，也并不意味着你一定会把这些钱都花在房产上。在房市泡沫发生之前，在亚利桑那能够找到一些价格合理的住房，因为那里的建筑成本低廉，土地资源充足，劳动力成本也不高。

将 1997 年作为基准的另一个理由在于：这一年也恰好是网络概念股和高科技股开始出现暴涨，创造出炫目而又短暂财富的年份。并且 2001 年之后，美国政府的减税政策使最富有的美国人阶层得以受惠数兆美元。最后，1997 年时房市泡沫才刚刚开始，通过购买住房来谋求惊人利润的庞氏骗局般的氛围还没有弥漫开来。

总而言之，如果你正试图判断你的住房价格是否还会继续下跌，那么就请回答以下问题：现在购买土地并重建一栋相同住宅的成本

将会是多少？如果这个金额明显低于你住房的当前市场估价，那么你就需要慎重考虑你的住房未来将面临的贬值压力。同样，如果你将这栋住宅用于出租而非自住，那么你可以基于你理想中的市场价值，来判断由此产生的回报是否合理。例如你认为自己的住宅价值100万美元，而租金却只有一年3万美元，这样的回报率显然过低，因此我建议你对于这栋住宅市场售价的预估应该更加保守一些。调查一下周边正在出售的相同住宅，不是这些住宅的报价，而是实际售价。利用上面的简单计算来看看你现有住宅在1997年时的价值，以及按照总体通货膨胀率上调30%之后的现值。去找你的邻居们打听一下，调查一下他们对于丧失抵押品赎回权的看法，弄清他们在未来房价继续下跌的情况下，是否会选择放弃自己的住宅，让你所住的街区充斥着被商业银行收回并重新出售的房产。问问自己，是否有任何理性的人为了获得你的住房所带来的各种舒适与便利而愿意投资购买你的住房，或者公众现在是否更愿意选择其他投资途径，而希望持有较少的住宅不动产资产。如果不出意外的话，在经过这些细致彻底的分析之后，你应该能够对于你所在街区的房产，以及你自己住房价值所承受的潜在威胁和可能的价格下跌幅度有一个全面的了解，并据此制定对策。

我经常因为撰写与房市崩溃有关的图书而受到批评，有人说我是个不可救药的悲观主义者。然而，在目睹当前市场的现状后，我认为自己是一个现实主义者，而非悲观主义者。我认为像本书这样的著作对于购房者和投资者具有重要的参考价值，因为这些书解答的正是他们最关心的问题：告诉我状况将会恶劣到何种地步，我好制定我的金融计划。对可能发生的情况一无所知是最糟糕的状态，不过比这更糟糕的是，有人出于自身业务和财务目的而希望状况好转，并向你灌输这样的观点。

第六章 美国经济依然举步维艰

有部分人坚称美国是地球上最强大的国家，也是世界最大的经济体，因此美国当前房市、抵押贷款和银行面临的诸多困境能够被美国的国内经济吸收解决。他们主张目前只是美国经济的又一场波动而已，再过 10 年，人们就会淡忘现在发生的这一切。这些人将当前的房市和银行危机与美国曾经经历过的，诸如 1987 年的股市崩溃、1990 年的杠杆收购危机，以及 2001 年的 IT 泡沫破灭等其他经济危机相提并论。

同样是这些专家，建议投资美国股市的最佳方法是长期持有。如果他们的建议正确，美国股市永远都能劫后重生，那么按理每当出现下跌时就应抛售，而开始复苏时就应再次买入。

然而，这些专家的意见却不见得正确。从长期来看，市场并非总能从周期性的下滑中恢复过来。有些时候，市场有可能在低位徘徊相当长的一段时期。那些破产的国家甚至永远都不可能实现复苏。美国能够从过去的经济低迷中迅速振作起来，并不意味着这一次依然能够如法炮制。当然你不一定因为美国现在承担着破产的风险就决定抛售那些下行风险较高的资产，而转向更安全的、波动较小的

投资工具和市场。举例来说，假如房市将要持续低迷5～7年，那么即使你相信房市热潮最终还会卷土重来，明智的做法也应该是在不动产刚开始陷入低潮时就把手中的投资性不动产和度假屋脱手，等到不动产价格跌落到极低价位时再买进。在7年房市低迷期内，你的资金总能在其他那些波动较小、下跌幅度也不大的资产上得到更好的运用，从而使你的投资资本得到有效的保护，而不是被套牢在不动产上。

因此，了解受到这场房市危机冲击之后美国经济的实际状况就变得异常重要。如果房市危机如预计的那样引发了全球经济衰退，那么同样也会进一步破坏美国的财务状况，导致复苏遥遥无期。

一、负债累累的美国政府

在处置此次房市危机，阻止这场瘟疫向其他资产和市场蔓延，并最终结束这场金融危机的战斗中（如果顺利的话），美国政府无疑是一个重要的成员。但是如果美国政府自身陷入了恶劣的财务状况之中，那么它所能采取的行动也将十分有限。没有任何国家强大到足以轻松承担价值8兆美元的住宅不动产亏损，这其中包括1兆～2兆美元商用资产的贬值和6兆美元的股市价值缩水。当涉及数十兆美元的巨额数字时，简单地要求美国政府介入危机，对企业进行救助并提供财政担保既不切实际，也无法实现。美国整体经济的规模仅有14兆美元，从某些方面来看，当前问题的严重程度就连世界最大的经济体也难以承担。

美国经济已经经历了将近30年的强劲增长，尤其是与其他发达国家相比更是如此。在这期间美国经济也曾遭遇一些小型的衰退，然而在过去30年间美国整体经济的增长波澜壮阔，令人称羡。对于任何国家或者企业来说，都应该在经济繁荣时未雨绸缪，为可能到来的风雨做好计划和储备。这是约瑟夫向古代埃及法老所呈的良言，他们因此为将要来临的 7 年大旱早早将埃及的粮仓充实以待（《圣经》中的故事，埃及法老梦中见到 7 头壮牛和 7 头瘦牛，这 7 头壮牛后来却被 7 头瘦牛吃掉。法老醒后要求约瑟夫为其解梦，约瑟夫告诉法老，这意味着埃及将会出现 7 个丰年，之后会大旱 7 年，后面的 7 个荒年将会把前面 7 个丰年的积蓄耗尽。因此约瑟夫建议法老趁年景好时尽量充实仓廪，以便度过将来的 7 年大旱。——译者注）。约瑟夫的良言在今日依然有效，在经济状况好时，你应该完善你的资产负债表和财务状况，这样当经济不景气时你才有力量应付可能出现的不测。

不幸的是，美国却恰恰反其道而行之。在美国经济经历 30 年迅猛成长和繁荣后，美国政府的财政状况却比历史上任何时候都要糟糕。正如华尔街各大投资银行由于过多使用了杠杆工具而陷入灾难一样，美国政府也同样使用了过多的杠杆工具，过着入不敷出的日子。美国政府，就如同它的人民一样，在繁荣时不满足于自己能够负担的花销，而是借入高额债务来进行他们长期而言根本无力负担的消费。考虑到美国政府现在必须开始偿还为过去的花销而借入的债务，它已经很难再像从前那样大手大脚。对于美国政府来说，当它被自己的债务和各种风险折腾得筋疲力尽时，已经很难再为应付这场世界范围的金融瘟疫出谋划策。

我的分析将以美国的财务状况以及美国采取行动减缓金融危机，阻止其向其他国家和其他类型资产与市场蔓延的能力作为开始。因此，对于美国联邦政府债务的检验将是一个很好的起点。绝大多数人在谈论美国联邦政府的债务时，他们所指的一般都是未偿还债务。大多数人都知道美国政府的总负债额最近刚刚超过 11 兆美元。一部分专家认为这个数字并不准确，他们主张在这 11 兆美元之中，只有公众持有的 4.8 兆美元才是相对正确的数字。在正常情况下，这些

专家的看法确实无误，如果某个美国政府机构决定将其资产负债表上的现金用于投资美国政府债券，这时就应该从美国政府的债务总额中将重复计算的这部分金额减去，而只计入那些由公众所持有的美国政府债务。

然而这一次却绝非正常情况可比。11 兆美元的美国政府债务总额与 4.8 兆美元公众持有债务之间巨大落差的根源在于美国社会保障（Social Security）和医疗保障（Medicare plans）计划中所包含的现金盈余。认为这部分盈余属于美国政府资产的观点并未考虑社保和医保出现盈余的原因。基本上每个人都清楚美国社保和医保从长远看无法保持盈余，之所以暂时出现盈余的原因在于婴儿潮一代的人口特征。婴儿潮一代的绝大多数人现在依然在工作，并向社保和医保系统支付资金，但是一旦这些人进入退休年龄，那么巨额债务就会同时显现。那些主张美国政府债务总额实际数字应该更小的观点其实是毫无根据的，因为社保和医保只是暂时性地保持了盈余，而未来却要承担巨额的债务。因此美国政府的实际债务总额就应该是 11 兆美元，相对于美国 14 兆美元的 GDP 来说，这无疑是个惊人的数字。

但这还不是美国政府的全部债务。美国政府已经将房利美和房地美国有化，房利美和房地美资产负债表上的债务总共有 1.6 兆美元，另外还有需要承担法律义务的 3.7 兆美元抵押贷款担保。现在，当美国财政部介入并正式接管房利美和房地美时，在它们两家股票交易价都低于每股 1 美元的情况下，依然置房利美和房地美流通在外的股份于不顾。美国政府当初之所以这样做，就是不想把房利美和房地美的债务转嫁到政府的资产负债表上，并且这也是美国政府迄今为止始终不变的目标。但是这些努力只不过是表面文章，实际上每个人都清楚，现在是美国政府在承担房利美和房地美的所有债务和房贷担保。显然，这些债务使美国政府的债务总额又增加了 5.3 兆美元。

美国审计总署（The General Accounting Office，GAO）公布了一项报告（美国政府 2006 财政年度财务报告，全文可在 www. gao. gov/financial/fy2006/fy06finanicalrpt. pdf 下载）详细列出了美国政府在资产负债表之内和之外的所有债务情况。这项报告还列出了美国政府向其雇员和军队退伍人员承诺的 4.7 兆美元的退休和健康保险支出，因此美国政府的债务总额已经接近 20 兆美元，然而非常不幸的是，更大的数字还在后面。

在美国审计总署的同一份报告中，还大致描述了美国联邦政府当前所面临的资产负债表之外债务的现值。这份报告显示，美国政府在社会保障部分还有另外 38 兆美元的债务。好消息是（如果算得上的话），其中有 6.5 兆美元的债务将通过向 62 岁以上公民征收的预期税收收入来解决，现在的征税年龄段是 16～62 岁之间，而预期的征税范围甚至将把 1～15 岁的儿童也包括进来。然而社会保险系统目前存在着 6.5 兆美元的差额，这也属于美国政府的实际债务。这项差额的一部分将通过社保本身的现金盈余来弥补，不过前提是社会保险投资所得回报能够超过整体通货膨胀率和未来不断增加的退休成本。

令人难以置信的是，美国的医疗保险状况甚至比社会保险更加糟糕。美国医疗保险系统现在的债务总额大约为 40 兆美元，而其中能够确保偿付的只有 16 兆美元，依然存在 24 兆美元亏空。对此美国国会又做了些什么呢？美国国会所做的不是试图消除这项亏空，反而通过了为老年人提供完全药品保障的《美国医疗保险处方药物保险计划》(*Medicare Part D*)，这一计划给美国联邦政府带来了另外 10.2 兆美元的债务，而一贯愚蠢无能的议员们为这项慷慨的计划只允诺了 2.4 兆美元的资金。如此一来，单单《美国医疗保险处方药物保险计划》一项就给美国政府增加了 8 兆美元的债务负担。如果把以上数字全部加起来就会如下面所示的一样：

美国政府未偿还债务总额	11.0 兆美元
房利美和房地美债务与担保	5.3 兆美元
联邦政府雇员与军队退伍人员退休及医疗保险债务	4.7 兆美元
社会保障差额现值	6.5 兆美元
医疗保障差额现值	32.3 兆美元
社保与医保净债务额	－5.2 兆美元
美国政府债务总额	54.6 兆美元

　　54.6 兆美元这个巨额数字应该足以令你震撼。如果没有，那么你可以将其以十亿美元为单位来表示，即 54 600 十亿美元。如果效果依然不够明显，还可以换成百万美元，即 54 600 000 百万美元。还不够震撼？这个数字可是美国全部 GDP 的 3.5 倍，几乎相当于全世界的经济总量。这样的巨额债务，光支付利息就将花掉美国所有赋税（包括所得税、销售税、联邦税、州税、地方税、财产税，甚至社会保险与医疗保险税）的全部收入。

　　因此从债务总额的角度来看，美国经济的状况不佳。并且由于以上这些数据无法充分体现房市与房贷危机以及全球金融风暴所造成的全部损失，美国即将进入异常艰难的时刻。例如，美国联邦存款保险公司（FDIC）根据其在自己网站 www. FDIC. gov 上公布的信息仅拥有 520 亿美元的资产，却要为美国商业银行内超过 4 兆美元的存款提供担保。由于越来越多的商业银行不堪抵押贷款业务的重负而宣告破产，因此对于美国联邦存款保险公司来说，追加自有资本注资已经势在必行，而这笔资金还没有包括在上面所列的美国政府债务总额中。

　　你或许会指望这样一个资产负债表失衡、负债累累、账外债务庞大的政府小心运作，切莫赤字运营，或者在资产负债表上追加更多的债务。可是事与愿违，美国国会预算办公室（Congressional Budget Office，CBO）不仅推算美国2008年度的政府预算赤字超过5 000亿美元，而且预计随着经济衰退的进一步恶化，赤字总量还将继续增加。在加入经济危机所造成的损失以及在未来经济衰退期间将会增加的预算赤字之后，美国政府的年度预算赤字总额预计将首次接近1兆美元。

通常来说，所有政府都会在经济繁荣期间试图实现预算盈余，因为它们知道经济低迷一般会导致赤字产生。原因非常简单，政府的大部分收入都直接与经济状况相关联，例如，在经济低迷期间个人收入和所得税会双双下降，而此时因为更多的公众需要政府提供失业保险和福利保障方面的服务，从而导致政府支出上升。

当美国滑向经济衰退时，我们可以合理预计美国政府赤字将会超过6 000亿～7 000亿美元，尤其是当你把房利美、房地美和美国国家存款保险公司的亏损也考虑进来之后。美国政府日常运营所造成的这部分差额直接扩大了美国的债务总额。在未来八年中，美国的债务总额有可能翻上一番，并且这个数字还没有包括社会保障和医疗保障系统由于资金不足而不得不分期摊还的债务，仅此一项就会将美国政府的年度财政赤字推升到1.5兆～2兆美元。要想降低赤字规模只能有两个选择：加税或者加印钞票以提高通货膨胀率。但这两个选择都令人望而却步，因为它们最终只会导致经济增长幅度的进一步下滑。而经济一旦继续萎缩，政府收入状况的恶化将更加严重。因此这两个选择对于政府预算赤字的恶化来说，无异于火上浇油。

而最令人困惑的是，美国的政府债务和政府预算赤字虽然如此庞大，可是这些钱的去向和用途却不甚了了。美国的桥梁和高速道路等基础设施年久失修，需要花费1兆美元以上的资金来进行维护修缮。虽然美国政府投入了巨额资金用于反恐战争，但是今天全世

界的恐怖分子却比八年前更多，这些钱似乎并没有让世界更加安全，事实上我们的世界比任何时候都要危险。

是的，非常不幸的是，美国政府在过去 10 年间的大量支出都进了大企业股东们的腰包，在此期间，美国政府进行了大范围的民营化努力，将许多工作委托给大企业。除此之外，大制药公司和医疗服务公司也给美国政府的支出带来了致命打击，并且按照布什的计划，医疗保障系统没有在药品价格上进行讨价还价的权利，这更是给美国政府的支出带来了严重的伤害。尽管美国在国防上已经花费了数兆美元，但是却极少有人知道，只有很少的资金到了军人及其家属的手中，巨额的款项都用在了军火企业的新型武器研制、民营军事企业，以及通过私人企业重建那些由于美国的进攻而陷于动荡的国家。哈里伯顿（Halliburton，美国的大型油田服务公司，美国前副总统迪克·切尼曾任职于此，在伊拉克战后重建期间传闻得到美国政府和军方的不正当支持。——译者注）的股价自伊拉克战争爆发以来飙升了 700%，绝大部分应该归功于它从伊拉克以及卡特里娜飓风过后的新奥尔良所获得的那些政府指定合同。

二、GDP 增长是一种错觉

显示美国状态不佳的另一项指标就是全世界对美国的评价，这一点可以说是一向令人担忧。你或许能够解释为什么在中东穆斯林国家，公众对于美国的支持率不到 10%。但是你却很难说清为什么在欧洲、亚洲以及世界其他地区的美国盟国中，公众对于美国的支持率也只有 25%，甚至更低（塔伯特，2004）。全世界绝大多数国家都反对美国入侵伊拉克，因为这些国家不认可这场由一方挑起的战争，它们认识到伊拉克与"9.11"恐怖袭击事件毫无关系。至于布什，几乎在世界所有国家的支持率都极低。最后，如果以上这些还不够，就请记住美国的抵押贷款所造成的损失并不仅限于美国本身，世界各地的银行和主权政府都因为那些所谓的 AAA 级证券价格的暴跌而遭受了数兆美元的巨额损失。当我们探讨美国的国家实力时，有必要将世界对于美国的评价作为标准来进行衡量，因为这为我们提供了一个真实的依据，以判断美国是否能够作为自由世界的领袖来推动变革，以及美国的盟友们对于美国推动全球经济的努力将会给予怎样的支持。假如全世界对于美国的评价过低，那么针对这场全球金融危机的任何可能的解决之道都会显得机会渺茫。

有部分专家以美国国内生产总值（GDP）到最近为止的增长为依据，认为美国经济依然强劲并在快速增长。然而这不过是一种错觉而已。克林顿总统执掌美国时，创造了 2 200 万个工作岗位，而如今在经历了乔治·W·布什总统的八年执政之后，美国净增加的工作岗位却只有不到 400 万个。尽管在布什当政期间，美国的 GDP 一直保持增长趋势，但是这种增长背后的原因却值得怀疑。GDP 作为衡量一个国家经济的尺度，其合理性最近开始受到较多质疑，众多专家认为 GDP 不能作为有效的判断依据。

例如，当企业造成了空气和水源污染，然后不得不购买污染治理设备来清除已造成的污染时，GDP 也会随之增长。对于一个普通公民来说，很难说他因此就会比污染发生前过得更好，但是这并不妨碍 GDP 的增长。一些有识之士认为，美国社会对于名誉、地位和物质的过度追求不仅无助于生活品质的改善，而且还加速了以 GDP 作为衡量标准的经济产出的大幅度扩张。比如，一辆价值 1.5 万美元的丰田汽车相对于一辆价值 12 万美元的悍马汽车，能够以少得多的油耗将你送到同一个地方，但是如果你开的是悍马而非丰田，那么 GDP 就要高出 10.5 万美元。一套面积适中的两居室住宅能够为你提供与一套豪宅相同的温暖与舒适，然而如果你选择的是一栋面积 1.2 万平方英尺（约 1 114 平方米）的豪宅，那么因此增加的

GDP 显然会有显著的差别。美国人和他们的孩子们每天都在为追求消费而活着，他们不断地寻找着各种新商品并购买，可是却没有任何研究表明他们因此而变得更加幸福。如果不断增强的物质主义并不能引导我们获得更大的幸福，那么对于以 GDP 最大化为目标的全部理念就不得不重新进行思考。有些人甚至主张数十兆美元的国防支出纯属浪费，因为生产出来的炸弹被用来摧毁事后又必须重建的桥梁，而已经落后于时代的坦克被卖给了那些昔日的盟友，现在的敌人。

不仅 GDP 的衡量对象有误，GDP 本身也存在着夸大现象，许多所谓的 GDP 增长其实存在虚假之处，因为它不过是将许多以前未纳入的东西纳入进来而已。举例来说，母亲们过去与她们的孩子一起待在家里，承担没有薪水的家务劳动，而这些本来没有显示在 GDP 上。而现在，母亲们开始走出家门工作，于是她们的工作和薪水，以及她们在佣人、儿童入托、下馆子、快餐等方面的支出都显示在了 GDP 上，而这些经济数据过去都属于全职家庭主妇们的无偿劳动。美国职业妇女的比例已经从 1968 年的 32％增加到了现在的 64％，美国 GDP 增长的很大一部分应该归功于这种社会形态的改变。

最后一点，对于由现金支付购买的产品与通过借贷购买的产品，GDP 以及 GDP 的增长都没有加以区分。如果我完全通过借贷来购买住房或汽车的话，我看不出这个国家会因此变得更加富裕。不仅美国公众在肆无忌惮地借债，他们的政府也是一样。美国政府的债务在过去 8 年间增加了 5 兆美元，而同期美国消费者的债务，其中包括抵押贷款债务、信用卡债务和学生贷款等，从 7 兆美元增加到了 16 兆美元。政府债务和消费者债务的这种增加意味着美国 GDP 在过去 8 年间所出现的任何增长都是靠举债实现的。换句话说，根本就不存在任何实际 GDP 的增长，所谓的增长完全是借来的。美国人现在所享受的，需要他们的后代来偿还。

三、挥霍无度的美国人

美国现在的储蓄率为负数。这表示不仅美国民众，也包括这个国家都是不知节俭、挥霍无度、不懂未雨绸缪，同时也表明美国民众已经对投资失去了兴趣和信心。之所以如此，要么是因为这个国家过于堕落，以至于民众不相信他们的投资能够成功；要么是因为国家的经济状况异常糟糕，没有任何投资能够产生回报。这两个选项中的任何一个都清楚地发出了警告，说明这个国家出现了巨大的失误。与之相反的例子是中国，民众的平均储蓄率达到了 40%。虽然与美国相比，这个比例高得令人震惊，但是如果对照绝对美元水准的话，结果会更加令人震撼。众所周知，美国家庭的平均年收入为 6.5 万美元，储蓄却为零。而中国家庭的平均年收入为 3 000 美元，其中却有 40% 被用于储蓄。中国人将储蓄用做子女的教育经费，投资于国家的基础建设，创办自己的企业，改善他们的家园。而美国人却没有做到其中的任何一项。美国人为了自己的消费而花光他们的所有薪水，在工作 10 年之后，美国人依然一无所有，而这个国家却会因为缺少投资而大幅倒退。

关于美国贸易赤字的言论早已连篇累牍，因此我不打算在这个问题上着墨太多，只需指出每年 1 兆美元的贸易赤字不仅过于庞大，而且这也是显示美国经济羸弱的另外一个指标。如果能够提供得到全世界认可的产品和服务，那么对外贸易状况就应该是盈余。贸易赤字之所以成为一个严重的问题，就是因为它导致了美元的弱势，而房市和抵押贷款问题的恶化进一步加剧了美元的衰落。此中缘由在于美联储为了支持岌岌可危的商业银行和投资银行将不断增印钞票，而这样势必加剧通货膨胀。当通货膨胀增速时，美元必然贬值，因为通货膨胀削弱了美元的购买力。而从利率角度来看，其对于提

高美元地位所能做出的帮助也极其有限，为了刺激低迷的经济，美国的利率现在已经降到了不同寻常的2％的低位。这个事实意味着利率已经没有任何为了解决房市危机而继续下调的空间，并且如果一旦大幅上调，将极有可能扼制任何的复苏。对于美元来说，现在唯一的问题就是美元能否与世界其他主要货币一样迅速贬值，通过大规模通货膨胀来冲抵银行的坏账。

美国金融和不动产资产价值的缩水同样也将会削弱美国经济。在美国住宅不动产贬值8兆美元、商业不动产贬值2兆美元、股市贬值6兆美元的情况下，对美国经济的负面影响难以避免。过去从未出现过全美范围内如此大规模的住宅不动产贬值，而住房价格下跌对美国经济的打击要比股市交易的影响更加严重。这是因为购房要比买股票动用更大的杠杆率，通常购房时所支付金额的90％来自借贷，而购买股票的最大借债率被限制在50％，通常的情况是不到4％。还有非常重要的一点是，虽然都加入了养老金基金和401K计划（401K计划也称为401K条款，是指美国1978年《国内税收法》第401条K项的规定。该条款适用于私人企业，为雇主和雇员的养老金存款提供税收方面的优惠。按照该计划，企业为员工设立专门的401K账户，员工每月从其工资中拿出一定比例的资金存入养老金账户，而企业一般也为员工缴纳一定比例的费用。员工自主选择证券组合进行投资，收益计入个人账户。员工退休时，可以选择一次性领取、分期领取和转为存款等方式使用。——译者注），但是却很少有美国人在股市中介入过深，普通美国人平均只拥有不到1 000美元的普通股票。但是却有73％的美国人拥有自己的住房，因此住房价格的下跌要比股市下跌对于美国整体经济的影响广泛得多。

四、出现问题的不只是经济

让我再简要总结一下美国面临的其他一些问题，这些问题即便没有直接威胁到美国经济，也与大规模的金融风暴和全球经济衰退有所关联。美国的公共教育体系正在崩溃，已经从世界首屈一指的教育发达国家滑落到了发达国家教育系统排名的最后一名。美国公众认真对待全球温暖化问题，因为这是一个相当长期的现象，气温每30年才会上升1度。然而一旦你了解详情，就会意识到，这是实实在在正在发生的事情，并且扭转这种现象所需要付出的实际成本将由美国和欧洲来承担，因为它们正是造成这一现象的罪魁祸首。与一个普通发展中国家的公民相比，一个美国人平均要消费22倍的能源，产生18倍的垃圾，制造20～40倍的二氧化碳。当然他们不会无缘无故地停止制造二氧化碳，这需要付出代价。如果你向企业征收二氧化碳排放税，企业就会调高产品价格，而消费者将会承担改善环境的实际成本。虽然现在有必要开征这样的赋税，但这将影响到目前的经济形势。美国国会正在筹划为二氧化碳排放建立总量控制与交易制度（cap-and-trade），这将增加每年1 000亿美元的税收收入。为了控制二氧化碳问题进一步恶化的步伐，也许将会因此创造新的工作岗位，但是这项工作的实质却显得有些好笑，因为它只不过是要把这个国家恢复到燃烧煤炭之前的状态而已。

经济学家们相信战争能够有效地刺激经济。但是需要再次指出的是，尽管在战争期间GDP通常会出现增长，但是对于向公民征税来生产炸弹以摧毁桥梁的行为，我们却很难做出积极的评价。美国国防部、情报机构，加上国土安全部的预算使美国每年需要在国防上支出1兆美元。而这削弱了众多生产性企业的活力，这种支出不能创造任何对于美国来说有价值的东西。你或许会主张这将为美国

人谋求安全，然而我要说的是，在花费 1 兆美元去入侵他国、狂轰滥炸、杀害平民、促使恐怖分子组织起来杀害美国人之前，这个国家要安全得多。

总之，美国不仅在经济上正驶入未知的恐怖海面，在意识形态上也正经历着一场自建国以来从未有过的斗争。大企业及其游说者们在政府部门中盘根错节，安营扎寨，使得那些由选民推选出来的公权代表们不再代表选民，而是代表大企业和华尔街的利益。从高油价到公路上为数不多的电动汽车，从药品价格到卫生保健成本，再到房市崩溃，这种影响比比皆是。游说者们已经渗透进了政府决策的所有环节，并将其污染。

在过去 30 年里，被推选出来的政府官员们总是大谈小政府、低赋税，以及去规制化。然而事实却是政府部门变得更加臃肿、赋税更高，而去规制化的结果也是南辕北辙，鼓动企业承担不必要的风险，将谋求更高利润的消费者玩弄于股掌之间。选民们经过一定的时间会要求政府制定法规来对金融市场和交易进行适当的监管，并且如果政府无法做到有效运作，那么任何新的法规对经济所产生的将不是建设性，而只是破坏性的效果。

最后，美国所面临的最大危机之一，也是从来不曾被探讨的是：与美国的欧洲盟友和世界其他发达国家相比，美国的宗教激进主义影响要更加严重。美国的宗教，不管它是否曾经发挥过有益的作用，现在已经在向政府施加破坏性的影响。

许多善良的信徒仅仅基于一个问题——堕胎来推选政府官员、国会议员、总统，以及决定对于联邦和地方法院法官提名的支持。他们这是在制造一个无法有效运转的政府。如果民主意味着无视经济和安全问题，而只以狭隘的心态将焦点聚集在堕胎这样的单一问题上，那就很难想象这个国家怎么能够做到不断改善政府运作，促进经济发展。更加令人恐惧的是，这些以宗教为原则的投票者们所依托的信仰并不是建立在事实和逻辑之上，恰恰相反，在这些信徒中，对于事实和证据视而不见的人要比将信仰建立在科学实证之上的人更受尊敬。从理论上来说，怀有这种宗教信仰的人们不再有理性思考，他们是真正的信徒，但是这个国家和这个国家的经济却最终将为此承受痛苦。

第七章 美国陷入长期经济衰退

如今即便最顽固的房产经纪人也会直截了当地承认房价正在下跌。尽管绝大多数房产经纪人总是不断地告诉他们的客户，最糟糕的时候已经过去，房价已经触底。他们之所以这样说的原因在前面的章节中早已指出，事实却并非如他们所说的那样。我认为到2008年年底为止，美国房价的下跌进程还只进行了一半，从现在开始，房价下跌的风潮将从次级房贷蔓延到富裕地区的优质房贷，而这正是在不动产热潮时房价上升最剧烈的部分。

此次美国的房价下跌与历史上曾经出现过的所有其他房价下跌都有所不同，不仅范围波及全美，并且在一开始时也没有伴随着经济衰退和大量失业现象的发生。通常，只有当经济出现低迷和衰退时，失业率才会剧增，进而迫使人们要么停止偿付房贷，要么低价卖掉现有住宅，搬入更小的房子。而这一次，房产泡沫是由条件过于宽松的银行借贷所诱发，因此至少在房价刚开始下跌时可能并没有发生经济衰退和失业激增。

在这一章中，我将着重探讨房价下跌，以及房贷和银行危机进一步将美国经济推入严重衰退的可能性。在后面的章节里，我还将

论证美国的房产危机、房贷危机，以及经济衰退将会如何波及全球。

一、这不只是一场资产危机

即便到了今天，仍然有一部分专业人士不认为美国将会陷入经济衰退。他们的理由非常简单，这些专业人士坚信这次房产和金融危机只是一场资产危机，对于美国实体经济中的工作岗位和经济活动影响甚微。当这些专业人士测算某类资产及其价格下跌将如何影响整体经济时，他们参考的通常是所谓的财富效应（wealth effect）。这些人士将股市下跌与因此造成的公众财富的损失进行比较，以找出其对于公众未来消费趋势的作用，以及对于整体经济和 GDP 的影响。这种所谓的财富效应，说白了就是测算股市震荡或美国公众财富的减少将导致的美国 GDP 年增长率减缓幅度。

同样，每当触及房价下跌话题时，房产专业人士们也会提到财富效应。到 2008 年年底为止，美国住宅不动产的总市值已经从 24 兆美元缩减到了约 19 兆～20 兆美元。如果美国大众感觉到他们的财富减少了 4 兆～5 兆美元，又将会对他们的支出和消费产生怎样的影响呢？

房价下跌对于实体经济总量影响甚微论的支持者们主张，这样的价格下跌只会对经济活动产生微不足道的作用。他们坚称所谓减少的 5 兆美元并非实际损失，因为很少有人会每年都出售他们的住房，因此这只不过是账面上的损失。此外，所谓的 5 兆美元并不是人们投资于自己住房的那部分血汗钱，只是将这些住房在房产泡沫期间所出现的 5 兆美元增值收益勾销了而已。事实上，这部分收益都是在 2004 年以后的美国房市中赚到的。

因此才会有众多专业人士质疑美国房价的下跌对于整体经济的影响有限。甚至当你向这些人士指出银行已经为此遭受数兆美元的损失，他们依然会争辩说在这场混乱中并没有真正的输家，因为"失之东隅，收之桑榆"，银行有所失也就意味着总会有人有所得，理论上当一个人停止偿还房贷时，他就因此保住了拿这笔钱购买的游艇、汽车或假期。

也许你现在已经猜到，我本人并不赞成这种观点。我相信房价下跌必将严重地影响经济，不管是它的成长，还是股市。尽管我同意财富效应的真实性，尤其是这种效应在房产上的体现，因为购房者普遍使用了极高的杠杆率，并且住房的持有也比股票要持久、稳定得多。但我并不认为房价损失会成为导致 GDP 减少这样的实体经济倒退的主要诱因。

但是，我坚信美国住宅不动产 24 兆美元的总规模过于庞大，在经受了至 2008 年底为止已经发生的 20％，最终可能是 30％～40％的全国性房产价值缩水的情况下，总规模 14 兆美元的美国整体经济难免受到沉重打击。

首当其冲的是那些与房产相关的行业，它们将深受其害，并且这些行业还不得不苦苦挣扎上很长一段时间。美国住宅建筑业如今已经陷入严重的萧条之中。新建住宅的建筑业者比已经购入住宅的购房者们要承受更大的打击，因为新建住宅都是出现在市场有较大需求的时候，起到缓解市场对新增供给的迫切需求的作用。因此，当这样的需求消失时，市场上自然会出现大量由房主出售的现房，这时对于新建住宅的需求也就随之瓦解。住宅建筑业正是这样一种周期性行业，强劲需求会在一夜之间化为泡影。在经济不景气的年份里，对于新建住宅的需求虽然不会低于 2％，但是二手房交易却要占到 60％～70％，上市的现有住房的数量将远远超过住房总需求的规模。

其次，住宅建筑业者必须在有大片可利用空地的区域修建新住宅，这使他们无法在众多都市的中心地带进行开发，于是住宅建筑

业者不得不向越来越远的市郊发展。比如在圣迭戈海边的德尔马（Delmar）和拉霍亚（La Jolla），每平方英尺土地上都挤满了各式住宅和公寓，几乎找不到什么新建住宅。而在距圣迭戈一个半小时车程的蒂梅丘拉（Temecula）和维斯塔（Vista），却到处都是新建住宅区。然而当美国房市开始崩溃时，一方面，市场内积压的大量新建住宅严重地压制了房价；另一方面，全面下跌的房价使那些必须每天到市内通勤上班的人们意识到，既然现在能够负担得起离圣迭戈更近的住宅，那就不需要继续住在蒂梅丘拉，每天在上班路上花费一个半小时。这些因素综合在一起，最终给了新房价格和住宅建筑业者致命的一击。

在旧金山以东两个小时，萨克拉门托（Sacramento，加利福尼亚州首府所在地）以南一个小时车程的一个小镇有这样一个例子，一个月前售价为 72 万美元的住宅在美国房市崩溃之后仅以 32 万美元的价格被拍卖。当然，那些在迈阿密、圣迭戈和拉斯维加斯等大城市的中心地带开发联体公寓的建筑公司和开发商也同样遭到了沉重打击。这些开发商曾经以惊人的速度大力开发各种公寓，因为它们的客户在得到银行支持的前提下愿意以建筑成本 2 倍、3 倍甚至 4 倍的价格来购买一套新公寓。但是当房价突然崩溃时，这些公寓工程很多变成了烂尾楼。

在住宅建筑业者和公寓开发商之外，另一个对于经济状况和 GDP 具有显而易见影响的当属众多房地产中介，因为它们的生意同样受到了沉重打击。在竞争激烈的房地产市场中，传统上房地产经纪人的固定佣金比率为房价总额的 6％，住房交易量现在看起来至少要减少 30％，再加上 30％的房价下跌幅度，这意味着房地产中介佣金将会减少一半以上。

当然，房地产经纪人并不是唯一一个依赖房产交易谋生的群体。抵押贷款经纪人、房产评估人、商业银行雇员、评级机构员工、投资人，以及投资银行都在房产和抵押贷款交易旺盛期间获利。但是绝大多数抵押贷款中介公司现在都已破产，最大的五家投资银行里面有三家停业，一大批大小商业银行即将倒闭。房市交易活动的萎缩不仅削弱了整体经济活动的规模，同时也造成了相关人员的失业，这些人要么依靠失业保险金生活，要么另寻出路，而这些对于整体经济来说毫无助益。

对于美国最大产业之一的建筑业来说，正如我已经指出的，新增住宅建设几乎已经完全停止。人们现在想知道的是，新增住宅建设何时才会重启。非常不巧的是，正当美国房市开始陷入大概要持续五年左右的崩溃时，婴儿潮时代出生的人们也开始进入退休年龄，众多美国老年人口将会住进养老中心。婴儿潮一代的退休将会对美国的 GDP 造成深刻的负面影响。但是却很少有人意识到，老人们从自己家中搬入养老院意味着市场上的二手房供给量将会显著增加。在未来 20 年中，一方面美国国会将采取措施严厉制裁非法移民，另一方面老年人搬出自己的住宅，进入养老院生活，因此美国未来的新增住宅建设规模可能微乎其微。

房价下跌对于经济造成的最后一个直接打击将与装修业、家具制造业，以及搬家业有关。在过去 20 年里，住房交易的迅猛上升使得装修业欣欣向荣。如今，房市放缓，大众会在现有住宅里住上更长的时间，对于装修业的需求自然也就随之下降。在房产热期间，装修房屋意味着的不是支出，而是利润。这一点在最近这场房产泡沫中体现得尤为突出，例如，如果你花 6 万美元重新装修你住宅里的一间厨房和两个卫生间，那么你这套房子的价格将会上涨 10 万～12 万美元。

这本来违反房屋装修的一般规律，因为装修反映的是你个人的喜好，所以你根本不可能从装修上获利。按照惯例，不管是什么地方的装修费用，付出的每 1 美元只能获得 0.3～0.6 美元的回报，总

而言之，装修本身基本上意味着纯支出。当人们意识到自己不会立刻出售自己的住房，同时又想对房子进行装修时，客户对于装修业自然还会存在一些需求，然而一旦这些工作完成，那么装修业对于整体经济的贡献将会大幅减少。

那些依赖新增住宅建设和房屋装修的公司将会深受其害。尽管家得宝（Home Depot）和劳氏（Lowe's）的股票遭到抛售，然而这两家公司的股票价格理应更低。对此唯一的解释就是，它们成功地迫使作为竞争对手的众多小型装修建材销售商破产，并最终在市场上获得了包括定价权在内的垄断地位。但是即便如此，当公众拒绝为一块胶合板支付42美元，或者为一把榔头支付18美元时，这两家巨头迫于现实压力也不得不下调商品价格。

因此，由于负财富效应的存在，低房价将会削弱美国经济，因为低房价意味着房地产行业的活动萎缩，从广义上讲，这就意味着GDP增长率的降低。不过我相信，房市危机对实体经济造成的最大打击至今还很少被媒体和学术界触及。我认为对于实体经济最大的打击在于抵押贷款资产价值的锐减所引发的房市危机给银行造成的损失。

二、银行遭受巨额损失

许多人认为经济衰退只是正常经济周期的一部分，因为这种现象总是会不断发生，人们宁愿将其视为正常经济活动不可避免的一部分，而不是去试图找出经济衰退的根源和解决途径。部分原因是为了回避舆论的指责，美联储前主席艾伦·格林斯潘甚至将此次危机称为百年一遇的事件，似乎这场危机就如一场每100年都会随机爆发的洪水一般。但是事实上这场危机并不是随机产生的，本来完全可以避免。这场危机事出有因，并且有许多人事先就已经对这场本可避免的危机进行过预警。就让我来试着解释一下，我为什么认为银行损失是理解这场经济衰退的关键之所在。

如果我无法提出有力的证据来支持我的这个理论，那么你或许会因为这个理论的概念过于简单而对其视而不见。银行现在已经被高度杠杆化，美国银行过去使用的杠杆率大约为 10～12 倍，也就是说，银行的总资产大约为净自有资产的 10～12 倍。它们是如何依靠这样低比例的净自有资产，运用杠杆操作获得如此之多的资产呢？银行可以利用客户存款、借入资金，以及发行债券。好消息是，银行在这些资产上每获得 1％ 的额外利润，对于这些银行的股东来说就意味着 10％～12％ 的额外利润。这正是这种运作方式被称为杠杆的原因所在。

但是，进行如此大规模杠杆运作的企业同时也必须认识到，杠杆工具在经济滑坡时也会对企业造成伤害。不过，美国大部分商业银行已经不再运用 10～12 倍的杠杆率，如今它们运用的杠杆率达到了 15～16 倍，这还没有包括这些银行的所有账外资产和杠杆。花旗银行在 2007 年时控制的资产超过 3 兆美元，但是即使在坏账损失 550 亿美元发生之前，花旗银行的实际净自有资产也仅有 1 100 亿美元，这几乎是 29 倍的杠杆率。

你可以想象这令花旗银行承受了巨大的风险。虽然花旗银行拥有 3 兆美元的贷款以及其他资产可供运用，但是只要损失所有资产中的 5％，就足以让它破产。当然，由于花旗银行所持资产的多样性，发生这种结果的概率并不是很大。但是花旗银行所持有的占其账面总资产 10％ 的某类资产发生 50％ 的损失，这种可能并不是没有，这同样会导致花旗银行的破产。尤其在当前，各家银行在住宅不动产和抵押贷款领域已经发生 5 000 亿美元损失之后，这是它们必须面对的风险。

三、实体经济陷入困境

至于银行损失如何打击实体经济，我将展开如下论述。当银行在某项业务上遭受严重损失时，银行的净自有股本、偿付能力以及持续发展就受到了威胁。当面对由于投资或贷款业务而导致的巨额损失时，银行所能做的就是在贷款发放业务上紧急刹车。毫无疑问，它们的贷款条件将不再宽松，这最终导致银行对于企业、投资者和消费者放贷的减少。银行放贷的急刹车必然会对经济产生实质性的影响。如果商业银行由于房产和房贷资产价格下跌而蒙受 1 兆美元的损失，这将造成银行账面股本的直接减少。这些银行的杠杆率为 15：1，这就意味着除非它们能够通过发行新股来弥补损失的旧股，否则这些银行就不得不缩小账面总值，并减少 15 兆美元贷款的发放。这正是我们今天在华尔街看到的去杠杆化。你是否能够想象，如果银行缩减 15 兆美元的贷款发放，将会对整体经济造成什么样的影响？银行将不仅缩减针对购买或建造新房的贷款，同时也会缩减学生贷款、信用卡借贷、汽车贷款、商业贷款，以及中小企业贷款的发放。银行必须缩减业务，否则将难以为继。银行将不再通过发放新的贷款来扩张业务，也不再向那些本来受到优待的客户继续提供信用融资，银行将开始回收贷款。所有这些必然会对经济造成负面影响，历史早已为此提供了确凿的证据。

在 1982 年和 1983 年，美国银行在针对美国农民和第三世界国家的业务上蒙受了巨额损失，损失规模足以威胁到这些银行的净自有股本基础。于是它们不仅大幅度缩减了针对农民和第三世界的放贷，而且对所有放贷都进行了收缩，从而导致了美国 GDP 的显著下降。

在 1990 年和 1991 年，美国的商业银行在杠杆收购、垃圾债券发放以及商业不动产开发方面再次遭受了巨额损失。请记住，噩梦再次上演，矗立在休斯敦的那些崭新的摩天大楼被称为透明大厦，因为这些大楼都被闲置了，你可以从大楼的一侧，透过没有窗帘、没有家具、没有雇员的大楼内部看穿另一侧。

对于银行损失导致经济困境这一理论，有一个最有力的实例发生在美国之外，1993 年的日本。日本房价在 1993 年开始崩溃，日本全国范围内住房价格下跌了 50％，而在主要都市圈，房价更是下跌了 75％。日本房价最终跌回了房产泡沫之前的水平，并非巧合，这也正是我所预测的美国房价将要下跌的幅度。

你可以想象，日本银行遭到了毁灭性的打击。在当时的日本，不只是银行部门助长了房产泡沫和商业不动产泡沫，作为一种辅助经营手段，许多日本企业也开始投资不动产。1994 年时，从会计角度来看，日本所有的主要银行毫无疑问在技术上都已破产。使它们能够继续存在的因素在于日本政府的支持。日本政府的财务省控制着这些银行，并且裁决银行何时可以承认在不动产上的损失。为了支持这些银行，防止挤兑现象发生，以避免银行破产，日本政府认为聪明的做法是不强迫各家银行公布它们在不动产业务上所蒙受的损失。但由此导致的结果却适得其反。公众失去了对银行系统的信心，由于缺乏透明度，投资者和商业人士无法确定哪家银行具有偿付能力，而哪家没有，以及严重的损失到底发生在哪个方面。最终，在接下来的 20 年里，日本陷入了一场经济衰退，而当日本于 2006 年与 2007 年终于开始走出这场经济衰退时，美国又被房市崩溃击中。因此，不管银行是否要将它们的损失隐藏起来，银行的大规模损失必将对一国的经济产生严重的负面影响。对于美国来说，1993 年的日本和今日的美国并无不同。显而易见的是，美国遭遇了持续的房价回落、房贷资产价格下跌，以及大规模的银行损失。在某种程度上，美国当局与各大银行关系过于密切，因此拒绝强迫银行公

布损失，由此造成的经济冲击将险恶而漫长。通过试图掩盖损失，美国政府、议员，以及企业管理者们最终会制造出一场持续多年的全球性经济危机。

四、损失是永久性的

2001年，高科技和 IT 领域遭受重创。高科技部门曾经居高不下的股价因此受到的打击众所周知，但是，却很少有人想过为这个领域提供资金帮助的商业银行因此蒙受了多大的损失。虽然关联并不一定很大，然而随之而来的经济衰退有部分原因就在于商业银行在高科技领域遭受损失之后的业务重整和放贷削减。

而现在，银行系统面临的损失可能高达 1 兆～2 兆美元。美国的商业银行所持资产的 40％通常为商业抵押贷款和不动产资产。在某种程度上，这些银行的净自有股本仅占其总资产的 4％～5％，如此一来，你立刻就能算出，只要这些银行所持的不动产资产和房贷资产价值下跌 10％，就足以导致众多美国银行破产。最大的商业银行所承担的风险也最大，因为通常它们在账面上保有的房贷资产也最多，相对而言，那些规模较小的银行大多会将手中的抵押贷款打包，经由房利美转售给抵押贷款投资者。同样，大型商业银行也更多地卷入了债务抵押债券之类的复杂抵押贷款产品，以及像结构性投资工具（Structured Investment Vehicles，SIV）这样的资产负债表外工具。由于这些金融产品的复杂性、结构欠缺性、显著的评级下调，以及杠杆运用，它们的价格下滑也最剧烈。

不过即便小型的地区性银行最终也没能摆脱厄运。尽管小型的地区银行会迅速将住宅抵押贷款出售给房利美这样的房贷打包机构，但是它们通常会向当地不动产开发商和建筑业者发放大量贷款。工程贷款是小型地区银行业务的主要组成部分之一，而现在由于大量的住宅和商业不动产工程的中止，其中有些甚至留下了一堆烂尾楼，因此这些地区银行面对的将是大规模的损失。这些地区银行还必须承担由购物中心开发商造成的风险，因为众多零售商已经开始面临倒闭风潮，随着经济低迷和整体商业环境的混乱，众多地区银行必将面对严重的贷款损失。

规模巨大的潜在损失意味着银行需要花费很长时间才能完成去杠杆化，并替换受到威胁的净自有股本基础。没有健全的银行就没有经济的有效增长，因为正是银行为新兴产业、建筑业的成长、新增住宅的建设、新工厂以及其他产业的开发建设提供了必不可少的资金。

那些拒绝承认经济衰退即将到来的怀疑主义者们的另一个论调是，一切都只是暂时的，并没有什么永久性的损失，只有周期性的损失。然而板上钉钉的事实却是，从银行的角度来看，这些损失就是永久性的。那些抵押贷款不会再反弹回原有价值，已经下跌的房价也不会重新升值。因为泡沫已经破灭，价格只不过是回到正常水平而已。银行未来将不会向你提供超过你年收入 11 倍的住房贷款。如果你拥有一份收入稳定的工作，信用记录良好，并且愿意支付一大笔首付，那么银行或许会借给你一笔大约相当于你年收入 3～5 倍的房贷。这只是向正常情况的回归。银行的损失将无法弥补，它们是永久性的，并且对于整体经济的影响也将是永久性的。

五、GDP 为何仍然保持上升趋势

因此，问题的核心并非房价下跌是否会影响整体经济和 GDP，而是为什么这种情况尚未发生。为什么直到 2008 年中期为止，GDP依然能够保持上升趋势？

已经有一些答案能够解释美国经济为何还没有陷入经济衰退和负增长。首先必须记住，此次经济周期与以前的所有经济周期都恰

好相反。这一次是房价下跌首先出现，然后才导致了经济低迷和失业率上升。在一个典型的房市周期里，你首先会遭遇失业，然后才会预期经济即将进入整个周期中的倒退阶段，房价还需要再经过5~7年才会触底，因此房市低迷和银行损失在整体经济上的反映是一个漫长的过程，就像观看一辆汽车撞毁过程的慢动作影片。

对于那些在华尔街的股市和债券市场从业，早已习惯了瞬息万变的股票或债券价格变化，以及由此带来的即时利益的人士来说，这或许将会令人异常沮丧。

经济没有因为房价下跌而立刻出现混乱还有另外一个原因，这可以通过查询到底谁在这场房市崩溃中蒙受了实际损失而找到。一位没有借入任何房贷的住房拥有者，他在过去20年中从来没有买卖过住房，一直住在同一套住房里，也就没有产生过任何实际现金收入和损失，仅仅承受了由于房价涨落而带来的账面收益和损失。但是对于那些不断炒作房产，总是以较低首付搬入更大住宅的人来说，他们却获得了不菲的收益。假如某人于1997年以20万美元的价格购买了一栋住宅，并在2005年以40万美元的价格售出，那么因此获得的利润是实实在在的。假如此人接下来又购买了一栋价值100万美元的住宅，并全部以银行贷款支付，此后即便这栋新房价格下跌，只要此人停止偿还银行贷款，任由银行收回住房，那么他就不会有任何损失。我举这个例子是想说明，对于这段时期内绝大多数申请过银行融资的房产交易来说，由于房价下跌而蒙受实际资金损失的是银行，而非购房者。对于那些没有卖掉自住房，而是重新融资购买第二套房子、汽车、游艇或外出度假的人来说，他们只需停止偿还第二套住宅的高额房贷就万事大吉，依然是银行而非购房者在承担由此产生的损失。

所以，为什么经济没有立即倒退？答案就是，那些在房产泡沫期间进行过炒房或者再融资的普通购房者们还没有遭受资金损失。

他们都通过那些交易赚到了钱并存在了银行里，遭受损失的是银行，而银行收缩放贷的副效应也还没有在整体经济中显现出来。不过，当大众花光他们通过炒房获得的横财之后，像现在这样的消费能力将难以为继，而又无法通过银行发放的新贷款来弥补，整体经济最终将因此受损。银行不会再为购买新游艇提供融资，也不会再为购买汽车发放条件宽松的贷款。一旦人们花完那些他们通过再融资或买房子而获得的资金，一切就都戛然而止，盛宴到此结束。

六、没有人能阻止的怪圈

虽然经济现在还没有出现下滑，但并不意味着未来也不会。实际上，在经历了两年半的房价下跌之后，失业率终于开始上升。美国失业率在 2008 年第三季度达到了 6.1％，并且还在继续增长。而这样的失业率将会导致 GDP 增长的大幅下降。如果你对经济衰退的定义是 GDP 连续两个季度出现负增长，那么我可以向你保证，你的这个定义最晚将在 2009 年年初得以实现。一旦经济衰退破门而入，就无法保证它只会短暂停留。事实上，我相信这将会是一场漫长而又严重的衰退。我相信在世界范围内，银行在未来将要削减的数十兆美元贷款会对全球经济造成沉重打击。于是恶性循环周而复始，建筑和不动产行业的从业人员遭到解雇，他们将不得不减少消费，并且其他相关行业也将开始裁员。已经遭遇麻烦的汽车业的形势更是急转直下，人们推迟假期，推迟购买汽车，不再购买游艇。零售业陷入困境，餐饮业陷入困境，裁员风潮继续扩散。当企业裁员开始加速，经济活动就会放缓，从而导致更多的裁员。商品库存积压导致商业投资减少，企业于是解雇更多的员工。

我相信没有任何经济学家知道该如何阻止这样可怕的怪圈。凯恩斯主义者曾经坚信政府应该介入，利用政府支出来终结这样的恶

性循环。不过现在的经济学家相信，消费者和企业要理智得多，他们清楚这种虚假的政府支出最终必然要由加税或者通货膨胀来买单，因此他们不会那么容易加入政府的刺激计划之中。

米尔顿·弗里德曼（Milton Friedman）曾经对我说过，在经济萧条期间，失业率和工资水平都非常恶劣，只有为新增的失业和低工资劳动者群体找到创造性的雇用途径时，才会出现新的雇用需求。米尔顿·弗里德曼试图说明美国大萧条期间劳动者工资水平的僵化，以及正是这种僵化阻碍了经济的迅速复苏。但我并不这样认为。当大萧条爆发时，美国的绝大多数工会尚未成立，并且绝大多数工人在大萧条期间也并没有加入工会。我并不是研究大萧条问题的专家，但是我仍然清楚地记得人们高举写着"我愿意为有饭吃而打工"的牌子的照片。这并不像是存在着普遍的僵化，虽然当时美国曾经通过立法来试图保障工资水平，不过很难想象这些法律立刻就会产生效果。

我本人要比米尔顿·弗里德曼悲观得多。我坚信资本主义是建立在信用之上的，信用基础一旦出现裂缝，契约将不再被遵守，债务也就不能确保偿还。当企业开始掩盖损失，银行失去存款人的信赖，那么所有经济活动都将面临停止的危险。公众会把自己的存款从银行取出，藏在床垫下面。人们不再购买新产品，企业也开始削减生产规模和员工人数，并减少投资。我也不清楚一个国家如何才能从这样一个旋涡中脱身。这样的风险已经发生。在数十年的时间里，那些最大的企业和商业银行以及投资银行在缺少政府监管的情况下为所欲为。而现在正是为此付出代价的时候。我唯一能够做到的，仅仅是希望这个代价不会太大，美国最终能从困境中脱身。但是我也同时希望教训将被吸取。在论述房产泡沫和崩溃深层原因的第十五章中，我将毫不犹豫地指出美国存在的监管不足，以及企业游说集团对于美国政府、美国人民，以及美国这个国家所造成的严重伤害。

第八章 沾染瘟疫的全球经济

到目前为止，本书关注的焦点都聚集在美国国内房市上。我并不是个仇外或者有种族主义倾向的人，恰恰相反，我很清楚美国的房市危机和抵押贷款灾难已经造成了严重的全球性问题。但是从全局角度来看，一个更迫切的疑问是：这场瘟疫是否将会向其他国家乃至全世界传播。

我们关注的焦点将首先从欧洲开始，理由很简单，尽管美国和欧洲的人口只占全球人口总数的12％，但是这两个地区的GDP和经济产量却几乎占了全球总量的一半。各类商品或许是由中国生产，服务则外包给了印度，然而这些商品和服务的最终客户却大部分住在美国和欧洲。如果美国和欧洲的消费剧减，那么世界其他地区根本不可能不受影响，置身事外。世界许多其他国家已经专职分工，各自成为美欧消费者的产品制造、服务提供，以及原材料生产地，然而到目前为止，这些国家依然没能创造出足够规模的国内市场和国内需求，以躲过由于美欧消费减弱而引发的全球经济衰退。

有部分专家主张，美国和欧洲已经不再在这个世界上占据支配地位。他们认为，由于巴西、俄罗斯、印度、中国等"金砖四国"

（BRIC）取得了傲人的经济发展，这些国家的经济增长率以及全球经济状况已经能够和美欧脱钩。

中国和其他发展中国家确实在经济增长方面取得了长足的进步，但是如果仔细验证的话就会发现，相对于美欧，这些国家的经济规模依然弱小。并且这些国家经济增长的很大一部分原因要归功于对美国和欧洲的出口。

我所找到的验证这种脱钩论正确与否的最好方式就是利用《华尔街时报》网站上的互动式统计工具。如果你进入这个网站的市场数据中心，查询到关于国际市场的数据，你就可以轻易绘制出各国股市变化图，然后进行比较。答案一目了然，世界各国股市的变化步调其实保持着高度的一致性。唯一的例外就是像尼日利亚和俄罗斯这样的产油国，这些国家的股市一般都会在油价攀高时走强。与此相反，美国等石油消费国的股市则会由于高油价而趋弱。不过，在长期范围内，即便这样的差异也会被消除，因为如果美国和欧洲经济出现低迷，石油需求就会相应减少，油价随之下落，尼日利亚和俄罗斯也会由于全球经济放缓而受到打击。在《华尔街时报》网站上，有一个简单的方法可以证明全球经济与美国经济并没有出现脱钩，就是绘制一幅全球股指变化图和一幅排除了美国股市的全球股指变化图，将这两幅图进行比较就会发现，这两幅图上的变化曲线几乎可以完全重合，这两条曲线之间的关联如此紧密，很难说全球经济已经能够做到与美国脱钩。

美国爆发的这场房市和房贷危机可能通过四种途径扩散到全球市场。

一、瘟疫扩散的第一个途径——银行

首先，外国银行和外国政府由于持有美国房贷资产或房贷抵押证券而遭受直接损失。这是这场由美国引发的瘟疫快速传播到海外的最直接途径，并且已经成为现实。当美国银行在房贷资产和债务抵押债券上出现问题时，德国、瑞士、法国和丹麦的银行早已因为持有美国房贷资产和房贷抵押证券遭受了大规模损失。由于美国的各投资银行、商业银行、房利美和房地美成功地将巨额的美国房贷资产和美国房贷抵押证券出售给了世界各地的外国政府，由此导致的损失也数额惊人。一部分最复杂、风险最高的债务抵押债券的最大购买者，正是某些国家的中央银行和它们的商业银行。

在某种程度上，外国银行在由于持有美国房贷资产而遭受严重损失之后，接下来的进程会与在美国发生的一切非常相似，先是本国经济出现问题，并最终发展成为一场全球经济衰退。正如在前面章节中对美国银行做出的验证一样，在美国房贷资产上损失惨重的外国银行会由于净自有股本基础受到威胁而大幅缩减放贷。银行对消费者和企业放贷的减少，加上贷款条件不再像以前那样宽松，这将严重抑制这些国家的经济增长。考虑到在过去数十年间，欧洲的经济增长速度低于美国，基本上年增长率都低于2％，因此即便较小的打击也会导致其GDP出现负增长，并且在连续两个季度出现GDP负增长之后，欧洲现在已经正式陷入了经济衰退之中。

与美国不同，欧洲中央银行最初决定不进行大幅度的利率下调。这意味着欧洲的经济衰退从一开始就有可能比美国来得更快也更严重。最终，由于承担着绝大多数的房贷重负，即便情况不会更加糟糕，美国依然会陷入严重的经济衰退。此外，大多数欧洲国家的政府并没有像美国政府一样制定经济刺激政策。一些暂时的补救措施对于解决房产与房贷危机引发的问题作用有限，只有大型的货币刺激政策才能推迟经济所受到的打击。美国在2008年第二季度实现了2.9％的GDP增长，假如没有美国政府推出的经济刺激政策，这个数字将几乎为零。

　　外国银行遭受的损失必然会以某种形式影响到实体经济。假如任由这些银行为了苟延残喘而苦苦挣扎，那么它们对放贷的收缩将最终导致经济衰退。但是另一方面，如果政府为了资助这些银行而提高税率，那么经济增长同样也会受损。迄今为止，就我个人的观察而言，这些国家的对策将和美国如出一辙，它们的中央银行会向大量失血的商业银行注资，并且通过加印钞票来支撑这种注资行为。欧洲各国已经宣布了向它们的银行注资 2.3 兆美元的计划。正如美国一样，当这些外国政府加印更多钞票时，通货膨胀也就随之而来。因为虽然货币数量增加了，但是实际商品的数量却没有任何改变，所以商品的价格必然会出现上涨。中央银行并不需要公开承认问题的严重程度，各国政府也不是必须因对商业银行监管不力而承担责任，并且这些政府也并非一定要告诉自己的人民，他们的赋税将会增加。赋税不会直接增加，但是通货膨胀率的上升实质上就是增加公众的赋税。原因在于，一般当高通胀出现时，尤其是在美国，劳动者的工资水平无法跟上食品价格和能源价格的飙升速度。

　　欧洲在很多方面与美国不同。其中一个重要的差异就是，在欧洲，工会要比在美国具有更大的影响力。在欧洲，工会通常与资方达成工资自动调涨协议，以确保工资水平和整体通货膨胀率保持一致。由于这种工会协议的存在，解决银行危机的成本很难转嫁到劳动者身上，因为加印钞票引发通货膨胀的同时，劳动者的工资水平会自动地随之同步上调。而美国的绝大多数劳动者就没有受到这种形式的保护，因此美国劳动者最终不得不为美国中央银行针对商业银行开展的救助行动买单。这正是米尔顿·弗里德曼所说的弹性劳资协议（flexible labor agreements），即当经济出现问题时，不管引发问题的根源是银行的亏损、政府的腐败，还是企业管理层的失策，你都可以通过诸多方式来将经济问题导致的成本转嫁给劳动者。比如降低工资水平，让工资增长落后于通货膨胀上升速度；不按照生产力的发展同步上调工资；或者当这些全都无济于事时，干脆进行裁员。

因此，此次美国房贷危机蔓延到欧洲以至全世界的最主要途径在于，全世界那些持有美国房贷资产和房贷抵押证券的商业银行和中央银行遭受了与它们的美国同行一样严重的损失。到 2008 年年底，由于在美国房贷资产上的损失，全球经济已经出现下滑。德国似乎已经陷入经济衰退，英国也岌岌可危，日本刚刚从一场持续了 20 年的经济衰退中脱身，却又重新陷了进去。欧洲比美国更早步入衰退不足为奇，因为欧洲的经济增长率原本就比美国低，而且欧洲也没有采取经济刺激措施或降低利率，加上欧洲的中央银行很快就决定加印钞票以向商业银行注资，而没有考虑到随之而来的通货膨胀及其对于欧洲经济的负面影响。

二、瘟疫扩散的第二个途径——房市

这场瘟疫向其他国家传播的第二个途径在于，世界各国本国内也可能爆发房市崩溃。美国之前出现的房产泡沫与世界各地的房市有着一系列的相似点。尽管在世界绝大多数国家，并没有像美国的房贷经纪商那样大肆发放诸如零首付、无本金以及负摊还贷款等各种疯狂的另类抵押贷款，然而两者之间依然存在众多共同之处，导致了不可避免的全球房市崩溃和全球经济衰退。

当我于 2003 年撰写了第一本著作《即将到来的住房市场危机》之后，我受到了大量的指责和批评，因为我在那本书中主张房市存在泡沫，并且预测与以往那些局限于美国某个特定城市和区域的住宅不动产下滑不同，这次的房市崩溃将会波及全美。在随后于 2006 年出版的另外一本书《现在就卖！住房泡沫即将终结》中，我不得不承认自己以前所犯的错误，即将到来的房市崩溃并非全美性的。

我认识到，那将是全球性的风暴。

在《现在就卖！》一书中，我证明了房产泡沫不仅限于美国，自 1980 年以来，世界各地的城市都出现了住宅和公寓实际价格的暴涨。在曼哈顿一等地带的一套 1 000 平方英尺（约 92 平方米）的公寓，实际价格从 1980 年的 42 万美元飙升了近 3 倍，涨到 2005 年年底的 120 万美元。而在美国，曼哈顿并非特例。同期旧金山的实际房价上升了 150％，圣迭戈、波士顿和洛杉矶的实际房价也都上涨了两倍。

同样一套位于伦敦上等街区的 1 000 平方英尺的公寓价格甚至比曼哈顿上涨幅度更大，在相同时期里，从 35 万美元涨到了 120 万美元。爱尔兰的都柏林实现了最大的房价涨幅，同样一套公寓的实际价格从 10 万美元上涨到了将近 80 万美元。西班牙的马德里也不相上下，一套相同公寓的价格从 8 万美元涨到了 65 万美元。在意大利的米兰和澳大利亚的悉尼，实际房价都飙升了 3 倍以上，巴黎和斯德哥尔摩则至少翻了一番。考虑到美国的房价在 100 年中不曾出现过实际上涨，而全世界劳动者的平均收入也并没有暴增，因此这样规模的房价上涨自然为全球范围的公寓与住宅价格崩盘埋下了伏笔。

你也许会认为，由于都柏林和马德里在过去 25 年间实现了经济和家庭收入的大幅度增长，因此它们的房价理所当然会出现迅速上涨。但是都柏林和马德里的标准住房的实际价格甚至比巴黎或阿姆斯特丹还要高，几乎与米兰持平。我并不是在批评都柏林和马德里，但是生活质量同样也是一个很重要的因素。不管怎样，相对于都柏林，我更愿意在巴黎享受一顿大餐。

2003 年我曾经在爱尔兰居住了一年，亲眼见证了经济迅猛增长的爱尔兰奇迹。即便如此，我仍然对以下数字感到震惊，都柏林市内的平均房价为 24 万欧元，都柏林市外的房价也达到了 18 万欧元，而爱尔兰人的平均年收入大约为 3 万欧元。虽然爱尔兰在高科技产业上成绩斐然，但是我却注意到爱尔兰的许多高科技企业都是在其他国家设计和制造它们的笔记本电脑与台式电脑，只是将最后的组装线设在爱尔兰以表示其在欧盟境内生产。事实上根本就没有任何高科技、高收入职位可言，因为许多人的工作只不过是往贴着公司新商标的笔记本电脑包装箱里倒防震泡沫球。我看不出一份年收入 3 万欧元的工作怎么能支持购买一套价值 24 万欧元的住房。正如在美国发生的一样，住房价格与平均收入的比率完全不合逻辑。在英国，审查一对夫妻的房贷申请资格时，至少还能做到只认可夫妻总收入的 50%，不像在美国，两个人的所有收入都会被承认。

欧洲各城市和社区纷繁复杂的都市性与国际化对于住房价格的上涨起到了推波助澜的作用，这也支持了我们前面的观点，购房者更关注自己所在街区的档次，而不是将来如何偿付房贷，这种虚荣心加剧了房价的暴涨，而那些野心勃勃的银行人士则进一步为房价的暴涨火上浇油。

英国、爱尔兰以及其他许多国家都没有长期固定利率抵押贷款市场。在这些地方，你不可能申请到 30 年期固定利率的抵押贷款。英国大约有 95% 的抵押贷款属于浮动利率，这就为麻烦的产生打开了方便之门，一旦将来利率出现上调，这些国家的房贷利率自然也会随之上浮，从而加大房贷偿还的难度。由于以前的利率被人为压低，因此这些国家的银行遇到了它们美国同行在房贷申请资格门槛上面临的相同难题，短期浮动利率在第一年会让贷款金额显得比较合理，然而之后一旦利率出现上浮，这笔房贷的偿还就几乎变成不可能的了。

事实上，澳大利亚、爱尔兰、西班牙和英国等国家与美国一样，在 1996 年至 2004 年之间，出现了名义利率的大幅下调和房价的剧烈上涨。而奥地利、德国、日本以及瑞典则本来利率就很低，或者利率没有出现下调，并且房价上涨幅度也极其有限。但是和美国一

样，所有这些国家的实际利率并没有出现实质性的变化。之所以会出现这种情况，是因为通货膨胀抵消了经济的增长。如果实际利率不变，那么房价也不应该出现变化。实际上与前面关于美国的讨论一样，房价出现变化的根源主要在于银行房贷申请资格门槛在应对通货膨胀变化时所出现的问题。通货膨胀发生变化时，在高通胀时期，银行不当的房贷申请资格门槛限制了房贷发放，因此违约和丧失抵押品赎回权现象也较少发生。然而当通货膨胀和名义利率出现下降时，银行又会过度发放贷款，进而造成违约和丧失抵押品赎回权现象的剧增。

因此可以预见的是，英国、爱尔兰、澳大利亚、新西兰和西班牙会与其他那些实际住房价格出现过急剧上升的国家一样发生房价大滑坡。由于银行不再像以前那样肆意发放贷款，所以一切又都回归正常状态。在某种意义上，如同美国正在发生的一样，这些国家房价的骤跌同样也会引发众多违约和丧失抵押品赎回权现象的发生，并给它们的商业银行造成巨额损失。这一切才刚刚开始，英国房价已经从顶峰下跌了6.5％，爱尔兰则是4％。在高峰期的时候，伦敦和都柏林房价与平均收入之间的差距程度与圣迭戈相当，而当房产泡沫破灭之后，这些地方的房价也同样将下跌35％～40％。这并不只是猜测，银行将不再有资金随意发放贷款，当通货膨胀开始对经济产生负面影响时，利率也已开始上调。由于几乎所有这些国家的房贷都是浮动利率，因此现在这种高通胀、高利率的状态必将很快导致高房贷偿还额。这些国家的购房者们将遭遇美国可调利率房贷偿还者们同样的支付困境。许多人发现他们当初计划偿还的房贷金额剧增了30％～50％，从而导致房贷的偿付变得完全无法实现，房贷违约率毫无疑问将会显著上升。

并非所有国家都被遍布世界各地的商业银行的过度信用扩张行为感染。加拿大就是一个相当保守的国家，加拿大保持了美国人所说的中西部美德，不愿借取相当于自己年收入 10 倍的贷款去购买住房。加拿大的银行没有肆意发放这样大规模的房贷，同样，它的人民也没有去狂热地申请借取并保证偿还这样的房贷。所以加拿大从来没有出现过像美国和欧洲那样的房价飙升。从 1980 年到 2005 年的 25 年里，多伦多的实际住房价格累计上升了不到 10%，相当于实际年均价格涨幅 0.4%，与此相比，一些美国城市房价的年均涨幅高达 10%～20%。

然而即便是加拿大也有房价快速上升的地方。温哥华地区，尤其是维多利亚岛上的那些价格曾经暴涨的度假房，现在由于市场的正常化而出现下跌趋势。在多伦多，这个 2008 年兴建了最多公寓的北美城市，购房者们通过被称为 107% 房贷的融资来购买住房。这种房贷不仅不需要购房者支付首付，为购房进行 100% 的融资，并且还允许房地产中介抽取相当于房价 3% 的回扣，购房者只要签署抵押贷款合同，就可以立刻获得相当于房价 4% 的现金。这样的条件是如此疯狂，与加拿大的其他城市完全不同，必将导致多伦多公寓市场出现一定程度的低迷，实际上这些公寓的价格已经开始下跌。多伦多的公寓价格将会跌至重建成本价，即 18 万美元，而非现在的 36 万美元。

三、瘟疫扩散的第三个途径——出口

这场美国瘟疫及其对经济的恶劣影响出口到其他国家的第三个途径正是通过出口本身。那些对美国和欧洲的商品出口占其经济重要部分的国家，将会因为美国和欧洲经济低迷而遭受打击。

中国是一个最明显的例子，这种情况也适用于印度。令人吃惊的是，德国也名列其中，因为德国是世界最大的出口国之一。以出口为其重要组成部分的德国经济结构，加上由于持有美国房贷资产而蒙受了巨额损失的银行，使德国成为世界上最早因为染上这场瘟

疫而陷入经济衰退的国家之一。

正是由于中国的存在，人们错误地估计了问题的严重性。一部分专家试图宣扬，中国6兆～7兆美元的庞大经济规模，及其活跃的国内经济使中国能够超然于美国和欧洲之外。但是事实并非如此。如果以购买力平价（PPP）来衡量的话，中国的经济规模为6.5兆美元。这种衡量方式是以当前美元汇率计算出中国的经济规模，再按照同等规模的美元在低成本的中国国内的实际购买能力进行转换。换句话说，按照现在的汇率，中国的实际经济规模只有1.6兆美元，但是如果根据购买力平价计算的话，中国具有6.5兆美元的购买力。

但是如果要分析中国经济的自主性，或者测算中国经济相对于世界其他经济体的规模时，购买力平价并非恰当的衡量方式。问题不在于普通中国人的生活水平，对此，购买力平价概念倒是非常有效的。购买力平价概念不能适用于衡量中国经济的规模，以及相对于美国和欧洲的自主程度。因此从这个角度来看，使用购买力平价概念是误入歧途。考虑到中美经济的相互影响，衡量中国经济的正确数据正是以当前汇率计算出的1.6兆美元。美国人并不关心中国的生活水平，或者普通中国人的购买力。美国人关心的是中国的经济实力将如何改变市场，帮助美国经济。美国人生活在美元的世界里，这里指的是真正的美元，而不是在中国按照购买力平价概念转换而来的美元。

显而易见的是，虽然中国成功实现了经济的高速发展，但是相对于14兆美元规模的美国经济，以及16兆美元规模的欧洲经济，中国的经济规模依然小得多。也就是说，一个规模这样小的经济体很难完全独立于世界其他规模较大的经济体之外。并且这一点已经被事实所证明：中国GDP的几乎一半都是由那些向美国和欧洲出口产品的企业所创造。如果欧洲和美国经济遭遇困境，毫无疑问这些出口企业也会遭遇困境。中国经济之所以取得了快速发展，并不是因为中国的企业生产出了优良产品，从而得以交换美国制造的产品，更多的是因为众多欧美企业将它们的工厂迁至中国所致。今天世界的大多数产品生产都是在中国进行。绝大多数的中国出口交易其实都是公司内部交易，例如 IBM 制造部门位于中国，但是作为它的进口商的 IBM 集团则位于纽约的阿蒙克（Armonk）。

当美欧经济出现严重滑坡时，不仅中国的出口企业会蒙受巨大损失，中国的其他经济组成部门也同样会深受其害。在中国，这些制造和出口业岗位很多属于高层次、高薪职业，并且这类岗位的从业人员往往会雇用更多的中国雇员来为他们制造产品和提供服务。一旦由于美欧需求减弱导致制造业萎缩，那么这类人员自然会遭到解雇，他们对于其他中国产品和服务的需求也将随之减少。

四、瘟疫扩散的第四个途径——货币流动

这场瘟疫传播的第四个途径就是货币的流动。正像你已经看到的，某些国家的货币甚至比美元贬值得更快，这就使美元相对于这些货币显得更加强劲。墨西哥比索就是一个很好的例子。当美国经济和美元低迷时，墨西哥经济和比索的状况甚至更加糟糕。油价的急转直下对于墨西哥这样的产油国来说无异于晴天霹雳，毒品恐怖主义对于墨西哥的旅游业来说更是雪上加霜。对美出口下降，由于美国的建筑业、装修业等大量使用移民的产业出现萎缩，墨西哥裔美国人汇回墨西哥的美元数额剧减，一切都糟糕到了极点。

总而言之，美国面临的困境可以通过四种途径蔓延到全世界。首先，许多外国政府和它们的商业银行将由于持有美国房贷资产和房贷抵押证券而遭受直接损失；其次，那些经历过暂时性房产泡沫的国家终将出现房价的迅速下跌；第三，那些以向美国和欧洲出口为主的国家将由于美欧消费需求的减少而出现经济萎缩；第四，对

于那些已经受到经济危机威胁的国家，货币流动将会放大它们的损失。不仅是企业和银行将会承受压力，整个国家都将面临破产的危险，这些国家货币币值的下跌也将放大外国投资者的投资损失。

这些进程的大部分现在已经开始，本书的核心正是要警告读者，最险恶的时刻尚未到来。英国和爱尔兰刚开始出现的房价下跌将轻易赶上美国某些房产市场状况最糟糕的城市。虽然世界各地的银行将陆续公布由于美国房贷资产而遭受的损失，但是由于它们的中央银行加印钞票所造成的通货膨胀，才刚刚开始影响到这些国家的经济。虽然中国股市到 2008 年年底已经下跌了 60%，然而仍然无法确定，对于这些美国和欧洲的主要出口国来说，最黑暗的时候已经过去。

第九章　大到无法倒闭——400兆美元的衍生金融市场

　　一个无人触及的严重问题当属400兆美元规模的衍生金融市场。这正是美国的房贷损失无法控制在持有房贷或房贷抵押证券的商业银行与投资银行范围（有些人认为总价值超过600兆美元）之内的首要原因。关系千丝万缕、结构密如蛛网的衍生金融市场，尤其是信用违约掉期市场（CDS），注定了全球金融系统内的所有主要参与者都将遭受严重的损失。衍生金融市场不但没有分散损失，反而将其放大并传播到全世界的所有国家和地区。也正是由于衍生金融市场的存在，令美国政府感到很多企业的规模和问题大到无法任由它们破产，这一点即使对于全球金融市场上那些规模较小，甚至微不足道的参与者同样适用。原因在于它们拥有的衍生金融产品所面临的风险过于巨大，足以妨碍政府有效地控制由于这些参与者的倒闭而给全球市场造成的破坏。

　　如果要充分解构衍生金融市场，单凭本书的篇幅是远远不够的。我在这里所做的任何概要性讲解，一方面会被衍生金融市场的从业人士指责为过于简单，另一方面又会让那些希望进一步了解这个异常复杂的金融市场的业外人士如堕五里雾中。话虽如此，但还是让

我们姑且一试。

一、何为信用违约掉期

金融衍生产品就是一种金融合约，通常基于交易双方之间。这种产品的价值衍生自其他无关的金融证券或资产。举例来说，认股权就是一种衍生证券，因为其价值源于企业的基础标的股票（underlying common stock）的价值。

如果以期权或者期货的定义来看，绝大多数金融衍生产品都算不上真正的证券，而更像是一种以抵押证券或资产价值为基础，交易双方签署的具有金融协议性质的简单合约。当金融衍生产品市场问世之初，市场之内的各种证券还都比较简单和安全。举例来说，我是一家借取了 30 年期固定利率贷款的企业，而你是一家借取了 30 年期浮动利率贷款的企业，我们之间可以达成协议，我为你支付浮动利率，而你为我支付固定利率，这就是一种简单的利率掉期（interest rate swap）。或者另一种情况，你借取了欧元贷款而我借取的是美元贷款，我们仍然可以签署合约，我为你偿还欧元贷款，作为交换，你为我偿还美元贷款，这种方式被称为货币掉期（currency swap）。利率掉期和货币掉期都是非常简单的交易，占据了总规模为 400 兆美元的金融衍生产品市场的大部分份额。400 兆美元只是一个理论上的数字，因为它指的是包含了利率和汇率影响的所有合约的总规模。但问题是，这个数字的重要性并不在于因此而造成的固定利率与浮动利率的差异，或者欧元相对于美元汇率的变动幅度，真正的问题在于这个数字代表了整个金融衍生产品市场的风险相当于 400 兆美元，这无疑是一个天文数字。假如 400 兆美元规模的金融衍生产品市场完全由利率掉期和货币掉期组成，那么这些合约的资金损失风险总额估计不会超过 2 兆美元。

然而实际情况并非如此。在这个 400 兆美元的金融衍生产品市场中包含了一个 65 兆美元规模的信用违约掉期市场。这些信用违约掉期产品的风险要远远大于结构简单的利率或货币掉期产品。由于信用违约掉期产品比其他产品具有更高的收益，因此相对于 65 兆美元的利率掉期产品或货币掉期产品，你当然会更加关注 65 兆美元信用违约掉期产品所出现的波动。

举一个简单的例子，信用违约掉期，即 CDS，就如同一份简单的合约，根据这份合约，你每年向我支付 10 万美元，而我同意一旦某家特定的企业发生信用危机并破产，我将向你支付 1 000 万美元。因此，如果你持有一家像 AIG 这样陷入困境的企业的 1 000 万美元风险债券，而你又希望当 AIG 倒闭时你的这些债券免受损失，那么你只要向我支付一笔由市场决定的保险费，也就是前面说的每年 10 万美元，我就会在 AIG 倒闭时向你支付 1 000 万美元。

利用信用违约掉期，风险证券的持有者可以通过支付一定费用来将风险分散给其他方。因为这属于一种套期保值工具（hedging device）和保险产品，因此对于众多金融市场的参与者来说就具有其自身价值，这一点可以通过信用违约掉期市场的快速成长得到证明。

二、信用违约掉期市场中的魔鬼

但是，魔鬼总是藏身于细节之中。如果信用违约掉期能够完全依照理论定义进行运作，那么理应不会有任何人蒙受损失。然而在信用违约掉期市场里却存在着严重的问题。信用违约掉期市场在本质上创造了一个完全不受监管的保险市场。在这个市场中，任何人，包括那些小型对冲基金都可以扮演保险业务提供者的角色，担保他人不会因为风险投资而遭受损失。可是正常的保险业一般都会受到严格监管，尤其是来自国家层面的监管。之所以如此是有充分理由

的。在保险交易中，个人和企业每年支付保险费以确保他们能够在那些高成本、低风险，并且发生概率不高的意外事件中受到保护。

虽然支付了保险费，但你也有可能从来不会因此而获得保险赔偿，唯一比这种结果更加糟糕的是你向某家公司支付了保险费，可是这家公司却无力赔偿你所受到的损失。事实上，你有可能在支付了多年的保险费用，最终需要申请保险赔偿时，却发现对方由于经营不善或经营欺诈而无力赔偿你的全部损失，或者对方自己也遭遇了你想通过投保来规避的相同风险而难以为继。这正是保险业需要受到监管的原因所在。监管是为了确保所有的保险业务提供者都能够为它们的保险业务所承受的风险提供足够的资金保障，以便在遇到困境时仍然拥有充足的金融资源以渡过难关，在可以预见的未来继续营业。如果没有监管，那么随便任何人，包括你和我，都只需雇用两个助手，装一部电话和网线就可以开始贩卖保险，但显而易见，我们根本没有能力赔偿客户的损失。这不是真正的保险业，只能算是根本就没有打算向客户支付保险金的保险费收取业，因为从一开始它们就没有足够的资本这么做。

由于信用违约掉期市场从一开始就完全不受任何监管，因此上述风险也实实在在地爆发了。小型对冲基金也可以提供信用违约掉期保险业务，然而一旦发生违约，其所担保的金额绝非这些小型对冲基金所能负担得起的。因此，企业在发行债券上的违约与对冲基金以及其他金融参与者的金融替代产品在同一时间出现蒸发现象并非巧合，因为当经济遇到困境时，大家都会遭遇流动性的瓶颈。

继续举例说明。假设你经营着一家拥有1亿美元资产的对冲基金。你签署了一份信用违约掉期合约，为总额20亿美元的雷曼兄弟公司债券进行担保。你将为所承担的风险收取每年2 000万美元的保险费，看上去似乎你还什么都没有做，而你这家对冲基金的1亿美元资产的年回报率却已经达到了20%。然而事实是，你所承诺的是你根本无力承担的风险。如果雷曼兄弟公司倒闭，当然这最终也已经成为事实，那么你将亏欠你这笔信用违约掉期合约的客户20亿美元，可是我已经指出你的资产仅有1亿美元。这并不是一个完全虚构的假设，事实上现在已经有某家瑞士大银行起诉了一家只有1亿美元资产、却签署了12亿美元信用违约掉期合约的对冲基金。

三、AIG 与摩根的区别

甚至连 AIG 这样的大企业也在信用违约掉期交易上遇到了麻烦。据推测，AIG 担保了大约 4 400 亿美元的信用违约掉期产品。由于 AIG 本身就是美国最大的传统保险公司，因此它顺理成章地成了绝大多数信用违约掉期产品的风险承保商。这些承保公司的基本业务就是在世界范围内对各大企业的违约提供担保，并为此收取保险费。在雷曼宣布破产的同一个周末，AIG 也在金融市场上遭遇了困境，这并非巧合。假如 AIG 曾经坚信雷曼绝对不会破产，那么一旦雷曼破产，AIG 就会因此承担巨额债务。如果与雷曼有关的业务占 AIG 全部信用违约掉期业务的 2%，那么 AIG 在雷曼宣布破产的下一个星期一早上就会背负 90 亿美元的信用违约掉期债务，这比 AIG 一年的全部收入还要多，并且这还是在只出现一例破产的情况之下。

那么，AIG 为何要参与这种交易呢？原因跟前面例子中的那家小型对冲基金相同，为了赚取利润。假如 AIG 在其 4 400 亿美元规模的信用违约掉期业务中，每 1 000 万美元能够收取平均 20 万美元的保险费用，这就意味着 AIG 每年能够赚取 88 亿美元的利润。这个数额占据了 AIG 公布的年利润中的绝大部分。

然而 AIG 并不是信用违约掉期市场上的最大参与者，为何规模比它更大的摩根银行却没有在信用违约掉期市场上遇到麻烦呢？这

就好比一位拉斯维加斯大赌场的体育博彩庄家，他在一场纽约巨人队与辛辛那提孟加拉虎队之间的职业橄榄球比赛中设定赔率，然后接受投注。不过，这个庄家会保持投注单的平衡，如果有太多赌注押在纽约巨人队一边，他就相应地调整赔率，吸引更多的赌注投向辛辛那提孟加拉虎队。只要这个庄家操作正确，那么当一天结束时，虽然比赛甚至还没有开始，由于保证了投注单的平衡，因此不管哪家球队获胜，这个庄家都已经成功地规避了风险，确保不会赔钱。而他的利润则通过收取手续费得到了保证，这个金额通常相当于全部赌注的10％。

虽然不能完全比照这个例子，但是摩根银行扮演的角色相当于这个例子中的那位拉斯维加斯体育博彩庄家。摩根银行成功地平衡了信用违约掉期业务中的风险。它不仅在大范围内以不同形式将风险分散开来，而且摩根银行没有像 AIG 那样只进行单方面交易。摩根银行在进行市场交易时，不但扮演着保险业务提供者的角色，同时也通过购买保险来将自身的风险最小化。

四、神秘的对冲基金

各对冲基金都从像信用违约掉期市场这样不受监管的保险市场中获取了极大的利益。这是因为对冲基金本身就完全不受监管，也没有什么透明度可言，并且对于提供信用违约掉期担保的企业也没有自有资本充足率的要求。此外，在进行金融衍生产品交易时，既没有中央结算制度，也很少有担保要求。在金融衍生产品市场这样一个不存在监管的市场中，主要的参与者都是一些不受监管，缺乏透明性的对冲基金，并且也没有任何担保要求，再也找不到比这更"完美"的组合了。

对冲基金总是显得很神秘，把自身的运作隐藏在公众的视线之外。由于它们很少公开财务报告，所以我们很难确切判断这些对冲基金在信用违约掉期交易中的介入程度，以及因此获得的利润。但是，尽管像对冲基金之类的市场参与者守口如瓶，不提供财务报告，这并不代表我无法推断在这个世界金融领域最黑暗的角落里到底发生了什么。而且，不去反思已经发生的一切才是极其错误的，因为已经有证据显示，金融衍生产品市场和不受监管的对冲基金铸下了滔天大错。正是由于这种反思，美国国会或许最终会决定对对冲基金实施必要的监管，提高它们的运营透明度。来自市场的一些证据表明，信用违约掉期市场并没有像当初计划的那样进行交易，那些对冲基金也是按照与你我完全不同的规则在运作。

从贝尔斯登银行（Bear Stearns）倒闭案中我们可以窥见一些端倪。尽管贝尔斯登只有 1 900 亿美元的债务，但是为其担保的信用违约掉期合约金额却高达 2 兆美元。这就令人感到难以理解，为何需要超过 1 900 亿美元的信用违约掉期来为贝尔斯登的债务进行担保？这样看来，在信用违约掉期市场里进行的大量信用违约掉期交易，根本不是在为贝尔斯登债券的持有者提供风险担保，而完全是投机。

还有另外的线索也显示出对冲基金的异常之处：对冲基金在很多年中一直保持着优于市场整体表现的业绩，即便考虑到对冲基金的高额收费和分红，这一点也违反了现代金融和有效市场理论（efficient market theory）的第一法则，即没有任何一方，更不要说整个行业，能够持续表现得比市场更加出色。在现实中，某些对冲基金年年表现不俗，这更证明了异常之处的存在，因为这同样也违反了有效市场理论的另外一个法则。按照有效市场理论，一两家企业根本不可能总是获得比市场平均水平更高的收益，即便在整个行业的市场回报率都出现上升的情况下也是如此。

另外一个证据也显示，绝大多数对冲基金之所以取得奇迹般的傲人业绩，并不是由于杰出的择股能力，或者高于常人的智慧。现

在出现了一种电脑指数基金（computer index fund）也能够实现与对冲基金相同的年平均回报率。这类指数基金选择股票完全不受人为因素影响，也不和任何一方就考察结果或被低估的资产进行交流，它们只是单纯地持有一定比例的现金、债务，并在股市中做空或者做多，就能获得与对冲基金一样的收益。这就表明，对冲基金的绝大多数收益并非来自于这些对冲基金的天才管理者所创造的阿尔法收益（alpha return，指不受市场波动影响的收益。——译者注），而是极其普通的、反映市场风险和回报的通过资产运作而获得的贝塔收益（beta return，指与市场波动相符的收益。——译者注）。

因此，如果对冲基金每年都能够获得高于平均水平的收益，那么它们是如何做到的？事实上这些只不过是贝塔收益，对冲基金都是通过持有风险更高的资产和证券才获得这些收益的。换句话说，它们不是将投资交易多样化，而是反其道行之，以单一、高杠杆率的形式进行投资交易。可是人算不如天算，许多对冲基金在经济繁荣时能获得多大的收益，在经济低迷时就会遭受同样程度的损失，这表明它们的资金结构中存在着债务杠杆。因为杠杆工具在经济繁荣时能放大收益，同样，在经济低迷时将会让状况变得更加糟糕。

由于无法打入对冲基金内部，而且对冲基金也拒绝公开它们的财务报告，所以我无法找到确切的证据，但是对冲基金肯定还有其他方法来创造持续的高额回报，尤其是对于身处一个缺乏监管的市场中、自身也不受任何监督、没有申报义务的企业来说更是如此。两种最显而易见的手段就是市场操纵和内幕交易。这两种手段都和老约瑟夫·肯尼迪（Joe Kennedy Sr. 1888—1969年，美国著名证券商，美国前总统约翰·肯尼迪的父亲。——译者注）一样历史悠久，而老约瑟夫·肯尼迪在这两种手段被美国证券交易委员会（the Securities and Exchange Commission，SEC）宣布为非法之前本身就是其中的行家里手。为了有效取缔金融市场中这类无法无天的行为，老约瑟夫·肯尼迪甚至被委任为美国证券交易委员会的第一任主席。富兰克林·罗斯福总统对此的评论是，有时候需要靠小偷来抓小偷。而对冲基金所运用的恰好就是这两种手段，因为它们不仅不受监管，无须申报，而且通过内幕消息进行交易，并且与华尔街的那些掌控巨额交易的投资银行串通一气。许多对冲基金只盯住某个特定行业或股票，因此一家小规模的对冲基金也可以控制某只股票平均日交易量中的极大份额。如果要操纵市场，做到这一点是首要前提。你只需要了解一下在丹佛进行的那些低价股交易，就能看出控制着某只特定股票日交易量的对冲基金是如何左右这只股票的走势，并且决定这只股票交易者的交易损益。企业早就抱怨过对冲基金对它们的股票所进行的攻击，然而时至今日，对冲基金有可能暗中进行的这些市场操纵和内幕交易却很少受到调查。

不过对于对冲基金来说，还是可以通过合法的途径来获取非同寻常的收益。就像在信用违约掉期市场收取保险费一样，对冲基金可以对未来可能发生的小概率事件提供各种形式的担保。任何种类的资产都具有获得回报的概率。一般来说，就连风险资产都能在大部分年份里保持良好状态，直到发生某种突发事件导致这类资产价值大幅下跌为止。房利美和房地美每年都要为自身的债务支付利息，即便有美国政府的担保，它们仍然需要为借取的资金支付 30～50 个基点的保险费。基本上，美国政府在房利美和房地美陷入困境时撤回担保的风险极低，事实上，房利美和房地美被国有化的事实证明这种可能性并不存在。

因此，如果你管理着一家小型对冲基金，并且打算赚取利润，那么你所需要做的就是做空，或者出售这些长尾、低概率、高成本的事件。长尾事件（long-tail event）就是指那些很少出现、极其罕见的事件。但是这类事件一旦发生，往往会造成毁灭性的后果。

有些人会向你购买雷曼兄弟不会破产的担保。

有些人会向你购买美国政府不会破产的担保。

有些人会向你购买阿根廷不会破产的担保。

还有些人也许会向你购买明年不会出现 15% 的利率，或者石油价格不会涨到每桶 200 美元的担保。

在这些案例中，尽管你可能永远都不需要向客户支付保险金，但是你依然能够正大光明地为你所提供的保险服务收取费用。然而，长尾事件一旦发生，例如油价涨到了每桶 200 美元，那么你就将亏欠你的签约客户天文数字的保险金，这时你所能做的就只有关门走人。大多数对冲基金的规模也就是五六个人、两三台电脑，对于他们来说，收拾好东西，坐车去飞机场是件再容易不过的事了。

五、监管有必要存在吗

对冲基金经理们辩称他们不应受到监管，也无须向证交会承担申报义务的最基本理由就是，他们只和经验老道的投资者打交道，这类拥有雄厚金融资产和丰富金融知识的投资者对于自己所要参与的投资，以及对冲基金的投资产品的风险有着清楚的认识。但是如果认真验证的话，这种论调并不成立。因为一旦允许不受监管和无须申报的机构进入机能性的资本市场，而这类机构却在市场内大肆进行内幕交易，或者市场操纵，抑或签订它们根本无法遵守的合约，这就会给市场机能造成巨大的破坏。最终导致的不是那些经验老道的投资者，而是所有的投资者——尤其是那些凑巧与这些对冲基金进行交易的一方蒙受严重的损失。如果你发现某家对冲基金是通过内幕消息进行交易，事先就已知道交易公司明天才会公布的收益报告的话，那么你绝对不会再想从这家对冲基金购买股票。

然而，由于这些不受监管的对冲基金的非法行为而蒙受损失的，并不只是直接交易方，事实上整个金融市场都会因此受害。由于没有人能够确切地知道这些对冲基金在复杂资本市场中的交易对象是谁，所以久而久之你也只能做出一个大致判断，知道情况有些不正常。当买入期权价格在企业合并案宣布前出现上升，而卖出期权价格则恰好在企业公开宣布收益萎缩之前出现上升，尽管你没有证据指责任何对冲基金或市场参与者，但是你心里清楚市场存在着原则性的错误和不公。有这样一种说法，如果你在一张赌桌旁坐了五分钟以上还看不出上当的人是谁，那么这个人就是你自己。同理，在证券市场中，如果你在老老实实地进行交易，而另外一些人通过不公平的违法手段占你的便宜，这种现象就很不正常，所以一旦你发现真相就不会愿意继续交易，最终只有抽回资金，从这个市场撤出。这种受到幕后操控的市场并非什么新事物，它遍布于全世界的任何一个落后小国。然而令人感到悲哀的是，这些行为在美国却受到容忍，而原因就在于对冲基金是美国国会议员和总统选举的最大捐款者。

还有观点认为，金融衍生产品市场，尤其是信用违约掉期市场并不需要监管。原因是这个市场只是一些无关双方签署的契约的简单集合，就和一捆绑在一起的，由不同双方签署的合同没有什么两样。

有一个比喻将有助于你理解这种观点的荒谬之处。一幅囊括了美国所有日常航班路线的航线图，就如同一个由双方交易构成的网络。没有任何航班能够在同一时间内往返于两个以上的城市，只能有一个起飞地和一个降落地。而且，由飞行航班构成的航空网络异常复杂，并相互高度依存。在来自达拉斯的飞机按时抵达之前，你无法坐上这架飞机从芝加哥飞往休斯敦。如果太多航班同时飞抵某个机场，又会导致所有航班晚点。这就相当于一个典型的将众多单纯的双方交易叠加在一起的例子。这些单纯的双方交易最终构成了一个数量庞大、相互依存，同时结构又极其复杂的网络，并且对于

这个蛛网般的互联性网络来说，监管绝对是必不可少的。这就好像如果没有地面和空中管制，你根本不可能搭飞机旅行一样。难道你相信即使没有管制，航班依然能够正常运行吗？

这个简单的比喻也有助于我们更好地理解信用违约掉期交易中的交易对手违约风险（counterparty risk）。在进行金融衍生产品交易时，所谓的交易对手违约风险指的是，作为签署衍生金融产品合约另一方的个人或企业在完成合约之前逃匿或者倒闭的风险。你可以想象一下，如果签有4 400亿美元信用违约掉期交易合约的AIG突然被允许破产，并无须继续履行这些衍生金融产品合约，将会出现什么样的情景。上述的那个航空业的比喻可以让你认识到，整个网络中某个重要节点出现问题将造成什么样的后果。我曾经目睹过芝加哥机场由于大雪关闭而造成的后果。受到影响的当然不只是芝加哥机场，整个网络都深受其害。航班延误的通告在芝加哥机场发布没多久，旧金山、亚特兰大、达拉斯等全美各地机场就都发生了航班延误。这正是网络和互联性无法避免的宿命。同样的道理，作为信用违约掉期衍生产品网络重要节点之一的AIG一旦倒闭，不说也知道对于整个网络将会造成何种破坏。毫无疑问，直接签约方将会蒙受损失，并且由于它们还会有其他不为人知的损失，因此也就无法保证它们不会进一步给其他交易对手造成损失。

这正是美国政府最终采取措施救助贝尔斯登、AIG，以及房利美和房地美的原因之所在。它们的规模大到不能任其破产的程度，尤其是得到美国政府担保的房利美与房地美的债务。这些企业全都是信用违约掉期市场内的主要节点，它们的破产，以及拒绝遵守金融衍生产品合同的行为导致的结果，将和芝加哥机场的雪灾如出一辙，并且更加严重的是，因此造成的恶果不是仅仅持续一两个小时，而是永久的。

衍生金融产品市场，尤其是信用违约掉期市场的出现，本来是为了分散风险，促使房贷资产更加有效地实现机能，结果却在这个充满迷雾的时期制造了更大的风险。由于大量交易对手的违约倾向，导致通过衍生金融产品市场和信用违约掉期市场分散风险的企图终成泡影。政府不得不直接介入，确保那些在整个网络中起到重要节点作用的主要交易方不会发生倒闭，信用违约掉期市场最终导致的却是社会主义。正如人们所形容的，那些最大的金融机构在经济繁荣时都是甘冒风险的营利性企业，而当经济不景气时则转而开始实行社会主义，需要政府担保，不愿遵守合约。由于信用违约掉期市场的高度互联性，因此所有的大型金融机构都得到了美国纳税人的资金担保，原因仅仅在于它们的规模太大，不能任由其破产。也就是说，原本由商人们发明的金融衍生产品市场却导致了美国资本主义的社会主义化。我将在本书第十五章进行论证，改革势在必行，美国需要重整宝贵的资本主义根基，企业创造利润应当受到鼓励，但同时也应该允许那些经营失误、出现亏损的企业宣告破产。

第十章　捉襟见肘的地方政府

正如我所说，并已经被前面各个章节证明的一点是，当初单纯的房价下跌最终却引发了全球不动产市场的大海啸。美国大众财富如此大规模的损失当然给美国和世界经济造成巨大的打击。我现在将开始详细论证这次房价下跌所造成损害的程度和范围。

如果我告诉你，此次房价下跌最主要的牺牲者之一是美国各地的地方政府，或许你们当中的很多人都会感到吃惊，因为不管是从这次房价下跌的方式还是构造来看，这些地方政府似乎都不应该为此而陷入困境。

首先，30年期房贷的信贷质量下降所导致的最终结果通常都反映在短期货币市场工具（short-term money market instrument）上。众多投资者已经由于杜撰出来的虚构价值而在针对这种短期货币市场工具的投资中出现亏损。

最臭名昭著的例子就是所谓的"拍卖标价证券"（auction rate security）。这种证券也是华尔街为了给货币市场投资者带来更高回报率而发明的金融创新产品，然而事实却是，这种证券最终给各投资银行和商业银行带来的只有亏损。

一、地方政府投资损失规模至今不明

拍卖标价证券的原理就是将你手中的非流动性长期企业债券和抵押担保债券打包在一起，然后出售给那些寻求安全的流动性短期回报的投资者。如果一切正常的话，这无异于一笔横财，因为通常长期债券的回报率要远高于短期流动性证券。其中的道理非常简单：相对于短期国库券之类的短期货币市场工具，长期债券所占用资金的年限更长，流动性更低，并且承担的银行倒闭风险也更大。

投资银行清楚它们必须为这类非流动性长期证券提供流动性，而它们想出的办法就是担保任何兑现需求都能够找到相应的竞拍人，也就是确保这种金融产品的流动性。并且投资银行对它们的货币市场投资客户做出承诺，如果在月度拍卖时找不到其他竞拍人，那么投资银行将会购回这些金融产品。

美国的各城市和州政府在与商业银行和投资银行进行金融交易时同样不用承担申报义务，因此美国地方政府在此次房市危机和房贷金融风暴中所遭受的损失程度至今不明。但是显然有不少美国地方政府卷入了拍卖标价票据交易中。目前已知的是，有很多拍卖标价票据产品中包含了不少抵押担保债券。2008 年 7 月，当这些拍卖标价票据到期兑现流动性时，虽然举行了拍卖会，却没有任何竞拍人现身。结果那些主持交易的投资银行为了避免在拍卖标价产品上的损失而违背了当初的承诺，将这些账户冻结。对于这种行径，纽约州总检察长安德鲁·库默（Andrew Cuomo）和不少其他州的总检察长采取行动，威胁这些投资银行，迫使它们承认在向各地的自治政府和投资者推销拍卖标价票据时，存在幕后操纵和违法销售的罪行，因为这些投资银行撒谎说这种投资就和货币市场工具或现金一样安全。最终，作为这些州与发放拍卖标价证券的投资银行和商业银行之间合约的一部分，拍卖标价证券的投资者们得到了退款。

因此，这场瘟疫又引发了一个完全出乎众人意料的结果。有人预期加利福尼亚、佛罗里达，以及全美各地的房价下跌会对美国各地方政府的投资造成负面影响，并且，每个人都认为受到影响的将是地方政府的短期现金投资。这种看法虽然毫无道理，但却情有可原。

因为美国各地方自治政府尚未公布 2008 财政年度的报表，因此它们由于房贷危机而遭受的损失尚不明确。尽管这些地方政府在拍卖标价票据上的损失会得到其发行者的赔偿，但是它们仍将损失一部分诉讼费用。这些地方政府也仍旧没有公布它们在抵押担保债券以及其他方面所遭受的损失。当然，有部分政府，比如亚拉巴马州的伯明翰市（Birmingham）已经由于破产而没有资金继续维持日常运作，因此被迫将财务状况公之于众。但是因为抵押担保债券投资而蒙受损失的绝大多数地方政府的具体情况，直到 2009 年这些地方政府提出正式报告之前将无人知晓。

二、教育系统遭遇预算危机

抵押担保债券和拍卖标价票据的跌价对于美国地方政府投资所造成的直接影响，是此次房市危机对于美国各州以及地方政府财务状况最直接和迅速的打击，然而这还不是最严重的打击。对于这些地方政府最显著的打击将来自于它们最重要的收益之一，即房地产税。当曾经上升的房地产价格出现下调时，将对政府的房地产税收入造成巨大和直接的打击。这种变化会对每个人造成深远影响，因为正是房地产税收入为全美各地的绝大部分教育预算提供了资金。在全美范围内，在房地产税急速扩张期间，各地学区就已经开始承受预算压力，很难想象当这些学区面对房地产价格下跌与房地产税

收入减少时又该如何调整。

2008 年，为了避免预算危机，美国许多地方政府宣称，相对于前些年的两位数的增长幅度，它们对于新年度房地产税收入增幅的评估为平均 5％～7％。然而，这个消息却无人相信。只要随便找份报纸，或者看一下街道上那些待售住宅前面插着的出售牌，每个人都知道房价不是在上涨，而是在下跌。在加利福尼亚和亚利桑那这样的州，由于房地产税评估没有及时反映出房地产价格的下跌幅度，甚至因此激起了针对房地产税的抗争行动。

美国公共教育系统的状况在过去 30 年间急剧恶化，尽管由于房价暴涨以及因此导致的房地产税增收使教育支出也同样出现了显著增加，但是地方政府和学校董事会在如何花费这笔得益于房地产税的横财上却乏善可陈。教师收入相对于通货膨胀并没有得到增加，校区工作无法吸引年轻人的参与，烦琐臃肿的教育等级制度无法摈弃，尤其糟糕的是经费开支的剧增。在大多数学区，教师们抱怨每个班的教师必须教 25 名以上的学生。他们还没有提到数量庞大的教育辅助人员，其中包括管理层、教练、助理、辅导员，一直到学校心理师这样从来不会现身于教室之内的人员。许多学校的师生比例为 1：25，但是如果将所有学校人员包括进来的话，那么教育系统内成人对儿童的比例通常为 1：5～1：7。尽管地方政府大幅增加了学校的预算开支，可是对于提高学生的学业水平以及激发优秀教师的工作动力却无所作为。

这样一个教育系统怎样才能躲过预算削减？首先，那些掌握着学校预算的管理层不太可能把自己解雇。通常，他们只会降低教师的工资，削减教师的人数，然后再向学生家长和政府抱怨他们没有足够的资金来有效地经营学校。这是个老套路了，看上去更像是在敲诈勒索。每当地方政府的税收收入减少，它们首先要做的就是削减公众急需的服务。例如，当车管所遭到预算削减时，它们难道会因此解雇坐在办公室里的众多人员中的任何一个吗？答案显然是不，它们只会将在窗口直接为客户服务的雇员数量从 10 人减到 7 人，这就必然导致公众到车管所办事时的漫长等待。事实上，政府这是在说：如果你敢削减我们的预算，那我们就给你点颜色看看。

因此，随着这场瘟疫的扩散，房价下跌导致了房地产税收入的减少，进而损害到了公共教育系统的预算。我可以毫不夸张地说，教育系统对于提高美国在全球经济中的竞争力至关重要。美国劳动者工资水平停滞不前的一个原因就是，他们必须和世界其他地区的低薪劳动者进行竞争。只有通过教育，美国劳动者才有可能在全球经济中赢得高技能、高收入的工作。令人感到讽刺的是，房价下跌最终不仅会伤害到教育系统，而且还会降低美国的全球竞争力。以下这个例子完美地诠释了这场金融瘟疫是如何传播的。

加利福尼亚和佛罗里达的众多城市正在承受着 50％甚至更严重的房价暴跌，但是很难想象这些地方的政府会容忍房地产税收入也减少 50％。在绝大多数城市，为了避免与房产拥有人的无谓争执，通常在进行房地产税评估时，都特意将其设定为低于市场真实价格。每当出现经费短缺时，就会随之调高房地产税。

然而在房价下跌的大环境里，这样的操作变得更加困难。在公众眼中，他们房产的价格要比房地产税评估价更低。但是当出现经济衰退，购房者们在房贷偿还上遇到困难，每月为各种账单所扰时，很难想象他们会支持所在地区的任何增税举措。在加利福尼亚的某些富裕地区，住宅的年度房地产税高达 5 000～6 000 美元，这可不是一个无足轻重的小数目。人们记得很清楚，就在不久前，5 000 美元还可以在一个不错的街区租一套非常好的住宅，而现在这个数字仅够缴纳房地产税。

三、美国人的退休生活受到威胁

地方政府由于房地产税萎缩而出现的收入下降是一个严重的问题。而美国各州与地方政府所面临的另外一个更严重、更直接的问题则是由于房价下跌而愈加恶化的退休金问题。虽然在过去 20 年间，私营企业的劳动者已经从定额给付养老金计划（defined benefit pension plan，根据加入成员的工资水平和服务年限支付固定退休金的养老金制度。——译者注）逐渐转移到定额分担养老金计划（defined contribution plan，根据加入成员退休前所支付金额，以及所加入养老基金的投资表现支付非固定退休金的养老金制度。——译者注），但是绝大多数政府雇员适用的依然是定额给付养老金计划。而在私营企业领域，加入定额分担养老金计划的雇员比例已经从当初的 60％减少到了现在的 10％。这就意味着不管地方政府在股市中的投资收益如何，它们都必须按照整体通货膨胀进行调整后，向它们的退休人员支付固定不变的退休金。

美国公营部门雇员的日子要比普通私营企业雇员好过得多。这是因为他们无须承受私营企业劳动者们所面对的全球化压力，公营部门雇员有效地维持住了他们的工会、他们的薪水，以及他们的福利水平。公营部门的员工无须过多担心他们的工作被转移到海外，或者他们的雇主为了节省成本而将他们工作的大部分外包到海外。美国的劳动者中，私营企业工会成员的比例从 20 世纪 50 年代的 35％下跌到了今天的 9％，而政府雇员中工会成员的比例则一直维持在 40％左右。

今天，在私营企业工作的美国人的平均收入包括福利在内为每小时 26.09 美元。而美国政府雇员的平均收入包括福利后接近每小时 39.5 美元。并不是说政府雇员的收入过高，或者他们不应获得这样的薪酬水平。而是说，显而易见的是，美国的政府雇员比私营企业的雇员更成功地维持了自己的收入水平。令人尴尬的是，公仆们每个小时要比美国劳动者——这些公仆服务的主人们挣得更多（塔伯特，2008）。

许多地方政府在未来 20 年中将陷入严重的困境。它们已经向它们的雇员承诺了慷慨的退休金、医疗保健，以及养老金福利，而这些福利将面临巨大的资金障碍。正是由于这些慷慨的退休福利，众多教师、消防员、警察和市政工人能够在年满 40 岁，达到 20 年的工作年限后早早退休，然后终身享受原有工资一半的养老金，此外，他们还可终身享受全额医疗保险。

早在此次房市和经济危机爆发之前，众多政府雇员就已经开始利用这种优厚的退休待遇尽早退休，为个人牟取私利。他们中的许多人四五十岁就从政府岗位上退休，然后重新就业以增加自己的收入。而此次的房市和经济危机使情况进一步恶化。需要特别指出的是，由于他们的股市投资和房产价格的下跌，政府雇员们本可以选择工作更久而非早早退休。但是他们之中的很多人却发现，通过从政府部门退休，再转到私营企业重新就职的方式，他们可以实现自身收入的最大化。也就是说，他们可以一边拿着丰厚的政府养老金，一边在私营企业赚取尽可能多的工资。

对于全美各地的地方政府来说，这种现象不能在情况更恶劣的时候发生。正如美国的社会保障和医疗保障系统为了维持美国人的退休生活和预期寿命延长所导致的健康费用扩张，最终不得不面对日益膨胀的赤字。美国的地方政府也面临着同样的问题，但是对于它们来说问题更加严重，因为它们的雇员工作年限更短，退休更早，预期寿命也更长。普通的计算在这里已经不合理，没有任何人在计划活 100 岁的前提下，只在 20～40 岁之间工作，然后指望他的雇主在他余下的 60 年中向他支付一半的工资和所有的医疗费用。

当然，地方政府不可能像营利性企业那样运营，它们唯一的收入来源是征税。过去，一旦它们由于开支增加而遭遇资金不足，只需要增加税收即可。然而这种方式以后将不再有效，因为现在不管是州税还是地方税都处于历史高位。事实上，美国各州和地方政府的税收，其中包括州和地方的所得税、销售税和房地产税，全部加在一起要超过美国联邦政府征收的包括所得税和社保与医保税在内的所有税收。你也可以这样来看这个问题，所得税的规模已经和社保与医保税持平，现在你必须把两者相加才能得出美国人缴纳的地方税的总规模。

　　然而公众所能支付的地方税是有极限的。当退休支出开始爆发性增长时，美国的地方政府就会发现它们难以继续将这笔高昂费用转嫁给公众。地方税规模已经与联邦税相当并且创下历史新高，这一现实对于即将暴涨的地方政府退休支出来讲并不是一个好兆头。由于房价下跌，房地产税评估价下调将导致房地产税收入减少。同样的道理，销售税和地方所得税收入也将因为经济衰退对美国中产阶级的打击而下降。税收收入将会不断下降，支出却会出现激增，与此同时，普通美国人的纳税能力却又十分有限。已经有许多美国人从高税收州迁移到像内华达这样的低税收州。如果这种流动成为趋势，毫无疑问那些退休人员现在所在的州将陷入破产的境地。

　　美国的地方政府面对的是与汽车行业巨头相同的问题。通用、福特和克莱斯勒不管如何削减生产、解雇员工，都无法摆脱资金不足的窘境。之所以会这样，原因在于它们的资金都流向了退休员工。尽管它们试图通过缩小企业规模，依靠较小的员工规模来获得更加有利的盈利状况，但却仍然无法弥补它们规模庞大的退休人员支出。

　　同样，美国的地方政府也很难通过削减开支来摆脱经费危机，原因同样在于庞大的退休金支出。例如圣迭戈市外一个小镇总预算的 75% 都是退休费用。正是这种难以应付的问题导致了地方政府的破产，也只有在破产之后，一个地方政府才能够和退休员工就退休协议重新进行谈判。如果不破产，就无法有效应对此类支出的剧增。

地方政府本质上应当遵循经济规律，并且重视教育资源，以及承担完善本地区各项基础建设的主要责任，没有这些也就无法有效开展商业活动。而一旦地方政府企图通过削减对本地居民的服务来平衡预算，它们必将陷入困境。

在本书第十三章，我将探讨这场危机对于各类不同投资途径的影响。基于本章内容，你或许应该避免向美国的地方政府和市政当局投资。如果这还不足以阻止你继续进行市政投资的话，那么让我再告诉你一点，大多数市政债券都是由第三方单一保险公司进行担保，而很多这样的保险公司最终将会由于它们担保的其他抵押担保债券的拖累而破产。最终，众多城市和地方政府将会由于曾经为它们提供担保业务的投资银行倒闭而失去担保人。这当然不是一幅美妙的前景，但却展示了这场瘟疫给这个社会所造成损害的严重程度。

第十一章 从华尔街到商业街

从房市开始的这场危机现在已经波及华尔街，给全球金融系统造成了巨大压力，并迫使众多最大、最强的金融机构面临破产风险。作为这场瘟疫破坏力的体现，华尔街的困境现在又开始反映到商业街上，并造成了严重后果。

我相信信贷市场的冻结和美国最大商业银行和投资银行的损失给美国经济以及美国商业的繁荣所造成的伤害很容易理解。我确信前财政部长汉克·保尔森（Hank Paulson）也持同样的观点，因为当他在美国国会举行的金融救助听证会上被问及商业街为何应该对华尔街的救助行动保持谨慎时，保尔森没能向国会做出满意的答复。为了避免将这个问题过于简单化，让我们验证一下，华尔街的状况与美国的整体经济以及商业街上普通美国公民的状态之间，存在着的各种直接或间接的关系。

一、信贷危机对消费者的直接影响

对于那些在房贷和抵押担保债券领域蒙受了巨额损失的金融机

构来说，最直接的影响就是它们将收缩对所有行业的贷款发放。如果你认为，自己现在又没有借取任何银行贷款，因此这样的信贷紧缩不会对你产生任何直接影响，那你就错了。

设身处地想象一下那些对于现有住房感到满意，没有打算搬家的住房拥有者的状况。他们没有房贷融资需求，对于既有住房感到满意并打算继续住上几十年。他们房产的价格会由于商业银行和华尔街房贷融资的不足而受到直接影响，当房贷紧缩，或者由于房贷风险增加而造成利率攀升时，住房价格就会下跌。现在很少有人用现金买房，几乎所有的购房者都是依靠房贷融资，因此如果没有房贷融资，就不会有新的购房者。即便你近期没有搬家的计划，你住房的市场价格仍然会由于房贷融资和潜在购房者的消失而下跌。当你意识到每年都有许多人由于意外事件而被迫出售自己的住房时，这一点就变得非常重要。突发疾病、离婚、失业等，都会迫使许多人在不合适的时间出售自己的住房。在这种时候，有限的房贷融资和大幅的房价下跌将会导致你处于资产不断缩水的不利位置，你所需偿还的房贷金额要高于你住房的实际价格。由于那些想购买你住房的潜在购房者无法从银行或华尔街得到合适的房贷融资，因此你最终将会损失很大一笔资金，甚至有可能不得不停止偿还房贷。

然而，不仅住房贷款将要枯竭，银行还将放缓所有形式的贷款发放。现在银行已经开始收缩信用卡借贷，它们以各种名目提高信用卡的费用和利息，许多人不得不为他们的信用卡借贷支付30％的年利息。很多家庭拥有多张信用卡，且欠债超过1万美元。在房市泡沫期间，美国大众把他们的住宅当成取款机来购买其他资产，支付他们的信用卡账单和其他债务，但是现在好日子已经结束，信用卡债务即便在利率更高的情况下也依然会出现暴增。由于许多信用卡债务和房贷一样被证券化，而这些信用卡债务证券的买家则高度依赖评级机构的评级来做出判断，这个市场现在同样已经冻结。美国的信用卡债务总额不到 2 兆美元，相对于 12 兆美元的房贷市场似乎显得相形见绌，但是一旦银行决定全额回收信用卡债务，众多美国家庭将被逼入绝境。

房产和房贷崩溃的另一个显而易见的受害者是学生贷款业。由前总统罗纳德·里根主导的民营化完成之后，美国的商业银行向学生发放了绝大多数贷学金，使他们得以进入大学就读。可是，就如同房贷和信用卡债务一样，大多数这类银行贷款都被打包在一起证券化后转售给其他长期投资者。这样的证券化过程总是困难重重，许多学生贷款最终未能通过。现实中有无数大学一年级新生因为无法申请到学生贷款而被大学拒之门外。

作为一项主要经济影响因素，美国之所以在全球市场竞争体系中处于弱势，是因为美国的教育体系无法培养出与其他发达国家具有同样素质的劳工。所有人都同意提高美国全球经济竞争力的关键在于教育水准的提高。而这次的信用危机却恰恰起到了相反的作用。学生贷款不仅没有扩大反而在缩小，众多合格的学生因为申请不到贷款而无法进入大学学习。

汽车制造业作为美国最大的制造业在此次信用危机爆发之前就已陷入困境。油价不断攀升，而美国汽车业却没有有效推进技术革新以降低油耗，这意味着美国汽车业的市场份额不断被外国竞争对手蚕食。当油价在 2008 年最终达到每加仑（约 3.8 升。——译者注）4 美元时，美国消费者们不得不选择放弃。美国汽车业生产的大型皮卡的销量减少了 58%，高耗油 SUV 销量减少了 30% 以上，美国的汽车公司无法找到有效途径来生产小型、高质量、低油耗、能够为它们创造利润的汽车。

美国汽车工业的困境随着信用危机的爆发而进一步恶化。不仅银行融资枯竭，各汽车公司甚至很难为它们的信用子公司确保资金。作为通用汽车金融分支的 GMAC（通用汽车金融公司），由于其旗

下经营房贷融资业务的子公司 ResCap（Residential Capital LLC）在房市崩溃中损失惨重而受到了直接的打击。美国汽车业三巨头旗下的金融服务分支全都面临着利率上升，信贷融资却更加难以获得的局面。通用汽车或福特曾经能够向购买它们汽车的客户提供每年 2% 的低息贷款，因为这些汽车公司的金融服务机构可以在信贷市场上借到同样利率的短期贷款。但是现在，三巨头的信用评级几乎全都是垃圾级，它们的金融服务机构的借贷成本也随之剧增。当汽车业信贷出现枯竭时，不仅会影响到购买汽车的月分期支付额度，还有可能造成所有汽车贷款发放的冻结，导致客户不得不用现金购车。全美的汽车销量已经出现下降趋势，如果汽车业只能依赖现金交易的话，那么它们的销量会出现更加剧烈的跌幅。各大汽车公司的汽车出租部门同样面临着严重亏损，因为租期结束而收回的汽车的售价远低于预期价格。作为汽车工业的一部分，轮胎制造业和汽车零件业同样是美国劳动力资源的大雇主，对于美国整体经济的健康至关重要。如果将各项经费和福利全部计算在内的话，美国汽车业的工会成员每小时能获得 70 美元的薪酬，而非工会成员即使将加班费和福利包括在内也只能挣到每小时 35 美元的薪酬。这种高薪酬工作岗位的减少，将会对整体经济产生极其严重的伤害。

二、企业信贷紧缩也会对消费者造成打击

到此为止，我所探讨的都是银行实行信贷紧缩政策对消费者造成的直接影响。通过商业银行和投资银行对各类企业信贷的紧缩，消费者同样能够感受到经济的不景气。银行是企业的重要放贷方，华尔街通过商业票据市场和企业债券的发放同样也是企业的大债主。

几乎每一家美国企业的资产负债表上都存在着各种形式的债务。在过去 10 年间，企业变得比任何时候都更加依赖债务融资，非金融企

业债务已经从当初的 7 兆美元上升到接近 11 兆美元。尽管众多成功企业能够通过业务创造可以预期的现金流，但是这些企业每年创造的利润规模并不足以有效扩大生产，拓展业务。建造一座能够雇用大量美国员工的大型工厂需要进行融资，昂贵的费用和复杂程度使个人投资者难以入股投资这种规模的工厂。因此显而易见的解决途径就只能是依靠银行或华尔街向企业发放贷款，或者进行债务融资以扩大生产，并利用新工厂创造的新增利润来偿还这些债务及其利息。

美国企业的信贷来源一旦被切断，那么它们的许多扩张计划就不得不中止。这不仅会造成企业难以借入资本以支持业务的扩张，而且会对经济本身造成副作用，因为消费者对于企业产品的需求，以及企业由于业务扩张而产生的产品和服务需求都会随之下降。失业率永远都是一个净值，因为总是不断有人被解雇，同时又有人找到新工作，而失业率总会为净值。信贷流动一旦中止，这个失业率净值就会由于新增就业机会的减少而激增。

即便是小型企业在账面上也会保有一定数额的银行债务，没有工厂的小企业同样需要通过融资来维持日常运营开支。一家小企业的利润水平往往起伏不定，因此它们需要通过借贷来实现日常支出的稳定。许多小企业为了募集资金以维持日常运作，甚至出售它们的债权和库存。如果银行资本供给被切断，那么美国的众多小型企业势必倒闭。虽然有许多这样的小企业运营良好，也能够确保足够利润来偿还信贷，但是如果无法继续获得银行融资，那么许多这样的企业，甚至一些运作非常成功的企业也不得不宣布破产。理由非常简单，这类小型企业总是会发生各种难以预期的费用，它们需要获得银行的贷款资金以应付这类开支，直到企业获利为止。

商业街上的消费者们将会由于银行房贷、汽车贷款、贷学金和信用卡信贷的紧缩而受到直接打击。同时，由于华尔街和商业银行的信贷缩减，向企业发放信贷资金的减少，商业街上的那些商家也

会受到一定程度的影响。缺少借入资本的支撑，这些企业将难以扩展业务，而许多小型企业甚至无法维持现有经营规模。工作岗位的减少会导致雇用率下降，进而造成失业率猛增。一旦失业率上升，整体经济和消费的萎缩就是时间的问题，最终这将影响到所有人的生活。当社会整体商品与服务需求减少时，每个人都会因此受到损害。不管工厂或商家是否背负着银行债务，当消费者对它们产品的需求下降时，失业就会在整个社会蔓延开来。

三、商业街陷入困境

事态的发展却不会就此停止，就像前面已经探讨过的，各类金融机构在房贷上的直接损失将导致股市暴跌，进而催生遍及全美的经济萎缩和衰退。尽管商业街并不是像华尔街那样重要的股票购买方或持有者，但是那里的人们也持有大量的股票。不少人的私人账户里保有企业普通股以备退休后生活之需。这些股票的重要性在房价下跌的形势下更加凸显，因为它们的个人持有者现在意识到自己无法再依靠出售住宅来维持退休生活。

众多401K退休计划过度依赖于普通股票。投资顾问们之所以如此建议，是因为他们相信401K属于长期投资，而一般来说股票的平均收益要高于债券等其他投资方式。可是股市如今已经暴跌了30％，并且在见底之前将会轻而易举地跌到将近40％。401K现在已经难以支付实际所需的退休费用，更无法承担40％的资产损失。即便是那些加入了定额给付养老金计划的幸运儿，也无法完全避免损失。绝大多数企业和工会养老金计划都在股市进行了投资，对于绝大多数这类养老基金来说，30％～40％的损失都会导致严重的资金不足。美国联邦政府通过养老金保障公司（Pension Benefit Guarantee Corporation，PBGC）对那些资金不足的个人养老金计划提供担保。但即便是养老金保障公司也财力有限，绝对无法承受如此众多的养老基金同时崩溃而造成的整体性冲击。美国联邦政府当然也可以向养老金保障公司追加注资以确保问题的解决，然而这种注资必须排在联邦存款保险公司（FDIC）、联邦住房贷款委员会（the Federal Home Loan Mortgage Board）、房利美和房地美等美国联邦政府早已承诺担保的机构之后。

我所描绘的当前状况是，一方面公众拥有的住房价格出现下跌，另一方面他们所持有的股票价格也在下跌，与此同时，通货膨胀导致他们所投资的债券价格也在下滑，此外他们的401K和养老基金也正承受着风险。美国人都疏于储蓄，事实上在2008年时美国人的储蓄率为负值。正如我们在本书第六章已经提到过的，在2007年，普通中国人的平均年收入为1 600美元，而他们的储蓄率为40％。与此相对的是，美国人的平均年收入为4.5万美元，却没有存下哪怕一美元。而如今美国人终于惊醒过来，发现他们的退休基金，包括他们的住房价格和实际退休储蓄在一夜之间全部出现大幅缩水。也许对于他们来说，已经来不及储蓄足够的资金来安享一个舒适的晚年，可是他们仍然不得不为了晚年开始储蓄尽量多的存款。美国的社会保障系统已经无法向所有的退休者支付足够的养老金。

当美国人重新开始储蓄时，你或许会认为这对于整体经济来说将会是一件好事。从长期来看，在正常情况下确实如此。然而必须记住的是，美国是全世界的消费引擎。如果美国人开始将他们可支配收入的10％用于储蓄，那将对全球经济造成重要影响。被用于消费的所有美元都会通过经济活动转移给其他美国人，大部分会继续用于消费，仅有一小部分被存起来。但是用于储蓄的所有美元则从整体经济活动中脱离出来，无法产生乘数效应。当美国从大规模消费国家开始向大规模储蓄国家转变时，势必将对经济发展造成负面效应。一部分专家认为储蓄的增加能够导致未来投资的扩大，但是

我从来就不赞同这种观点。我相信投资的扩大必须是与新技术、教育和人文精神息息相关的投资机会的增加。只要人们能够创造好的构思，必然会吸引世界其他地方的储蓄来进行投资。一个国家的公民仅仅为了养老而决定增加储蓄，并不意味着这就是一种更好的投资观念或投资方式，这也不能导致经济的进一步增长，事实上反而会立即造成消费和 GDP 的下滑。

我希望你能够逐渐认识到信贷对于一个资本主义社会的重要性。资本主义和自由市场经济的奇妙之处就在于，各个市场中信贷供给和需求的细微差异不断对市场起着调节作用，从而使得我在本章中描述的所有经济活动不仅能够保持平衡，而且还令人难以察觉。然而，信贷供给的严重扭曲将给美国经济带来影响深远的打击。众多华尔街债券市场完全冻结，就连大型金融机构没有担保也借不到资金，这一现实意味着，美国商业街已经陷入了严重的困境。你应该明白为什么商业街对此难以接受，因为现在这种情况史无前例。即便是在 1929 年，对持股人增收保证金的行动造成股市崩溃，加上银行挤兑最终导致经济萧条时，当时的银行信贷虽然也几乎枯竭，但却从来没有出现过像现在这样严重的情况。

但这并不是说前财政部长汉克·保尔森向华尔街提供 7 000 亿美元的救助计划就是错误的，或者美国必须忍受一场严重的信贷紧缩。认清信贷紧缩所造成的伤害当然重要，然而公众也必须明白，我们难以回避将要遭受的所有损失。不管美国政府采取何种措施，美国已经无法避免一场将要持续数年的、严重且规模巨大的经济低迷。并且，在后面的章节将会指出，保尔森的计划既非唯一选择，也非最佳选择，甚至最终有可能造成更大的伤害。

因此，如果想判断在这场危机中，让商业街出面来帮助华尔街是怎样一个荒谬的主意，那么首先要明白，不管采取什么措施，损失和伤害都已经无法避免。华尔街所遭受的伤害纯属罪有应得，而且即便华尔街的众多金融机构已经损失了大量资本，时至今日它们依然可以从债务投资者那里获取大规模的借入资本。我找不出华尔街需要依靠商业街来救助的任何理由。事实上，各家银行的债务投资者本来只需动用为数不多的资金，比如他们账户里15％的资金，就足以在无须纳税人资助的情况下解决现在的问题。在此次危机中，虽然华尔街的各大银行确实由于房市崩溃而蒙受了大部分的损失，然而并不能因此就让商业街和美国纳税人去为它们买单。在一个资本主义体系中，理应允许管理不善、表现拙劣的企业宣告破产。对于资本主义来说，不可能有其他的选择。

第十二章 美国人口结构为这场瘟疫推波助澜

　　我们现在讨论的这些问题之所以性质严重是因为它们的长期性。美国的名义房价将在未来2～3年里继续下跌，在其后3～4年中，美国房价将依然无法赶上整体通货膨胀。虽然名义房价将会出现小幅上涨，但是上升比率要低于通货膨胀率，因此实际房价仍将保持下跌趋势。

　　同样，随之而来的美国经济衰退将不会是小规模的，也不会在短时间内被摆脱。美国经济的复苏将需要等待一定的年头。你无法指望在住宅不动产总值损失5兆～6兆美元，股市市值蒸发7兆～8兆美元之后，经济不会陷入一场漫长而严重的衰退之中。一个过度利用高杠杆率，缺乏透明度，且已支离破碎的金融体系，再加上一个收受大企业贿赂的腐败政府，足以证明这场经济衰退将会长期持续。虽然你可以预期股市将会比整体经济更早复苏，然而却没有任何理由相信这样的复苏将会很快到来。经济停滞至少将要延续3～4年，甚至有可能会是5～6年。

一、即将到来的退休潮

让我们首先展望一下美国未来 5～20 年的状况，以便确定现在所出现的损失究竟是永久性的，还是美国在持续发展过程中的暂时性减速。

$$1946 + 62 = 2008$$

这个简单的计算公式显示的正是美国在未来将要面对的核心问题。这个公式想要说明的是第二次世界大战之后，在 1946 年以后出生的婴儿潮世代从 2008 年开始，逐渐达到 62 岁，开始进入退休年龄，领取社会保障福利。美国战后的婴儿出生高潮从 1946 年一直持续到 1964 年，所以在 2008 年退休的婴儿潮世代只不过是大批高生产效率的劳动者退出经济活动，步入退休生活，从而导致人口结构出现巨变的第一波。

婴儿潮世代的退休浪潮将会从各个方面对美国的经济总量产生巨大冲击。美国的婴儿潮世代是世界上有史以来生产效率最高的一代人。通过利用政府的奖学金补助和学校贷款，他们能够进行自我培养，并在经济生活的各个领域确保高薪工作，享受着新技术和全球化所带来的各种附加利益。

婴儿潮世代代表着美国成年人口的 28%。当这一代美国人退休时，美国经济将会因此损失巨大的产能。另外，这个世代的消费能力也将自然而然地因为他们的退休而急剧下降。因此，美国经济不仅将丧失他们卓越的生产力，而且他们对于其他人所提供产品与服务的需求也会骤减。同时，由于如此大比例的劳动力及其生产总量的减少而导致的次生效应也势必影响巨大。

一些专家认为，由于当前的房市与经济危机，婴儿潮世代的人群有可能推迟退休。假如果真如此，这或许会有助于减轻对社会保障体系偿付能力的压力，然而只能推迟而不是有效解决因为他们的退休给经济造成的负面影响。我不认为婴儿潮世代将会延后退休，依照我自己的理论，我相信婴儿潮世代的许多人将要比他们原先计划的更早退休。尽管他们的退休资产和住宅价格由于这次危机而大幅受损，但他们的工作动机也同样因此深受打击。作为这场迫在眉睫的严重经济危机的直接后果，婴儿潮世代中的许多人将会失去工作。企业通常会首先解雇最资深的员工，因为通常他们的工资水平都比较高。在经济衰退的大环境中，如果一名属于婴儿潮世代的劳动者遭到解雇，很难保证他会积极地重新寻找一份新的工作，或者他能够找到一份新的工作。如果你认为当你 22 岁那年刚从大学毕业时，找工作对你来说是件非常困难的事，那么就请试着在 62 岁的时候去找份工作看看。现实是，由于全球化进程以及其他令人焦虑的因素，当那些任职于大企业的成功人士失去一份年收入 10 万美元以上的工作时，他们很难在劳务市场上再找到一份同样收入的工作。那些已经习惯了年收入 10 万美元以上的安逸的高管工作的人，不会有动力去金考复印店（Kinko's）做一份没有任何福利，每小时收入仅为 7 美元的工作。由于很少有雇主愿意向 62 岁的员工提供福利，因此一名 62 岁的员工将会发现自己包括福利在内的工资总额大幅减少。如此一来，他或许会决定根本不再参与经济生产活动。

因此这个问题的难度将会倍增。一方面难以想象一个 62 岁的人会非常积极地寻找新的雇主，另一方面也同样很难想象雇主们会积极地向 62 岁的应聘者提供待遇优厚的高薪工作。当然，总会有一些不幸运的人由于在这场危机中失去了大部分资产而不得不继续工作。我估计以后最难得到的工作将会是那些站在沃尔玛门口向你问候的老年人的岗位。

　　除了婴儿潮世代的退休和与之相伴的消费减少对经济总量产生的直接影响，他们还将开始降低负债。属于婴儿潮世代的大众将不再谋求更多的资产，他们转而开始出售资产。在过去10年间，消费者债务总额已经翻了一番。当购房者中止偿还房贷时，消费者债务就会开始下降，但是这种债务仍然需要通过积极的资产收缩来进一步降低。公众已经开始出售他们的第二套住房、第二辆汽车、他们的皮卡和SUV、他们的摩托雪橇、他们的游艇，等等，并且这种趋势将会持续下去。美国公众没有任何理由需要10亿张以上的信用卡，而每个成年美国人拥有9张以上的信用卡。雪上加霜的是，未来不单银行将不再发放太多贷款，它们还会坚决要求美国人减少负债，因此美国大众将不得不通过出售资产来降低自身负债。这对于整体经济来说有害无益，因为这意味着所有那些以婴儿潮世代为客户层，贩卖游艇、汽车之类高价资产的企业销售额将会大幅滑坡。

　　拯救当前这场危机计划内容的一部分就是利用各种途径和手段协助美国大众保住现有住宅，避免被抵押贷款债权人收回。美国联邦存款保险公司（FDIC）已经开始通过接管并控制业已倒闭的印地美的抵押贷款资产来实现这个目标，并且美国政府也宣称将放宽房贷条件，允许更多的民众在房利美和房地美被国有化之后依然保住自己的住宅。民主党向美国大众保证，这样的计划将会是联邦政府救助商业银行及其房贷投资组合计划的一部分。

　　然而令人遗憾的是，这也许并不是一个好办法。众多美国人陷入困境的原因显然在于他们在购买住房上的支出过多。虽然银行把钱借给了他们，但是美国大众也签署了房贷契约，答应偿还贷款。而帮助这些美国人继续住在他们无法负担的更大更好的房子里，并不是个好主意。

　　问题的关键在于，即使政府通过低于市场水平的利率对贷款者进行补贴，以帮助这些住户保住现有住房，对于住房购买者来说这依然是一大笔消费而非投资。当你居住在一套住房中时，你实际上是在花费你本可以通过将其出租而获取的租金。因此，居住在自有住房中的行为并不是不动产投资，而纯属消费支出。由于不动产泡沫，导致了美国大众实际上对自住房的过度投资，他们住在对于自己来说面积过大的房子里，这对于整体经济有害无益。因为所有这些资金都没有用于能够创造财富、创造更多工作岗位，以及刺激经济的生产性投资，而是凝固于砖石瓦块之中，完全成为非生产性资本。你或许会争辩说这种资本也同样具有生产性，因为住房给你带来了安全与幸福感，然而这种愉悦并非来自于住宅的投资功效，而是来自于它的消费功效。你是为你自己投资了一大笔资金，而不是为了这个国家，或者其他新的事业。

解释这个问题的另一种方式是，到 2005 年为止，有 24 兆美元投资于住宅不动产，而这些不动产大多不被用于出租，包括自住房、度假屋和第二套住房。美国大众通过自住而消费了全部租金。这笔 24 兆美元的资本投资于任何途径都要比投资于自住房得到更好的运用。人们当然应该追求居住的舒适性，但是他们也必须了解，假如他们选择一栋价值 100 万美元而非 25 万美元的住宅，那就意味着有 75 万美元的资本无法投资于生产性企业。从这个角度来看，房价下跌其实是一件好事，因为这使资金又重新流向生产性企业。但是，只要政府对住房购买者进行补贴，使他们继续待在现有住房中，而不是搬入对于他们来说价格合理，能够负担得起的住房，这就必然成为一个问题。

婴儿潮世代的老龄化对于美国经济产生的最后一个直接影响就是，随着年纪增大，越来越多的美国人将会面临健康问题。现代医学的进步使大众的寿命得以延长，但是正如我母亲所说的，得到延长的偏偏是我们寿命中不恰当的部分。长寿对个人来说虽然是个令人称道的目标，对国家来说却会成为另一个支出议题。

　　你完全可以预期未来对于医疗服务和药品需求的上升，但是由于此次危机所造成的财富损失，越来越多的美国老年人将无法拥有足够的资金来支付医疗费用。一旦美国人更加长寿，并耗尽他们一生的储蓄，那么国家就必须照料他们，而因此产生的巨额医疗费用将不得不由全社会来承担。

　　这种情况由于婴儿潮世代的退休而雪上加霜，并且包括 62 岁以上的美国人也将感受到剧烈的冲击。到 2050 年为止，美国 85 岁以上的人口将达到 2 000 万，这对于美国来说，无疑是一个沉重的负担。

　　美国的社会保障和医疗保障已濒临破产边缘。医疗保障基金可以撑到 2020 年，社会保障基金则是 2040 年。美国人无法指望这两个系统能够为未来剧增的退休人口和医疗费用提供足够的资金。如今，一个年轻的美国中产阶级劳动者必须向社会保障和医疗保障系统支付其收入的 13％，这个比例甚至高于他的所得税，然而即便如此，这些保障系统依然处于赤字状态。将来由于美国长寿人口而导致医疗成本剧烈增长的预期一旦发生，没人知道美国该如何支付这些费用。如果继续提高那些几乎无法从社会保障和医疗保障系统受益的年轻美国人的赋税，这不仅存在着道德问题，并且也有损于劳动者的积极性。从某些方面来看，联邦税、地方税、社会保障和医疗保障税的负担过于沉重，导致人们无法全身心地投入到工作之中。

　　也有成功的投资计划建议你投资那些人口构成非常年轻的国家。经济活力四射的印度和中国的人口构成中，大约有 65％的人口年龄为 40 岁以下。随着婴儿潮世代进入退休年龄，美国的老龄化过程将会提速。日本作为世界上老龄化程度最严重的国家之一，在过去 15 年间已经出现了经济的停滞不前，并且由于日本政府的错误决策和 1993 年日本不动产泡沫的破灭而进一步恶化。如果这个理论正确无误，那么一个国家 GDP 的增长和股市的繁荣就应当是年轻国民促进生产力上升的结果，而出现相反状况的国家则是由于老年人口的退休所造成的生产力下降。然而，这个理论却无法有效地套用于美国未来的状况。

由于房市崩溃和股市低迷，许多正进入退休年龄的婴儿潮世代成员面临着养老储备金不足的窘境。他们的401K计划和企业定额给付养老金计划因为股市低迷而正遭受损失，与此同时他们的住房价格也正大幅下跌。许多美国老年人将他们的住房当成银行账户来利用，他们通过出售房屋，将所得款项用于支付各种医疗和退休生活费用，从而得以搬出长年居住的住宅，进入养老看护机构颐养天年。然而当房价出现大幅下跌之后，这就变得越来越不可能。

二、储蓄未必是好事

由于房价将不会再出现快速上涨，同时股市又巨幅下挫，此时的美国人不得不重新开始曾经被他们忘却的举动——储蓄。美国的储蓄率现在为负值，对此我一直认为是出于两个因素。首先，美国人每年在住房上取得如此惊人的资本增长，因此他们认为自己不需要进行储蓄；其次，如果中国人或者其他正在崛起的发展中国家的劳动者愿意以每小时0.5美元的工资为美国人制造产品，而作为发达国家的美国人的工资水平为每小时20美元，那么美国人理所当然会愿意尽量多地借款，尽量少地存钱，并且尽可能多地消费各种诱人的低价产品。而这些也正是现实中已经发生过的一切。信用卡债务、汽车贷款、用来购买其他房产的第二笔房贷，等等，所有这些都在美国人大肆享用着低工资国家生产的各种廉价商品时出现了迅猛的扩张。

然而现在，美国人的房产价格出现缩水，他们在股市中也大受挫折，因此美国人不得不重新开始储蓄。绝大多数经济学家错误地认为这是一件好事，他们似乎没有意识到，当美国人储蓄增加时，

也就意味着消费的减少。从长期来看，由于美国人过去消费过度，所以这种转变或许是件好事，但是从消费模式向储蓄模式的转换将会损害到美国经济。如果美国人开始增加储蓄，减少消费，对于产品和服务的需求也就会减少，这就将直接影响到美国的 GDP。

我认为，经济学家们之所以错误地热捧储蓄而贬低消费，是因为他们相信在正常情况下储蓄是有益无害的。但是，当前这种状况却并非正常情况。假设有两个国家，它们都消费同样数量的产品，然而一个国家要比另一个国家多储蓄总收入的 10%，那么从长期来看，高储蓄率的国家必将会有更佳的表现。但是，我们无法确定一个高储蓄、低消费的国家在当前，或者将来也将会有高 GDP 产出。一个国家拥有高储蓄率并不代表一定会有高成长率。一个国家的成长率依赖于其企业和政府的组织模式、激励和教育人民的方式，以及大众投资方案的资质。储蓄资金与世界上的任何其他资金并无差别，在不同国度之间具有可替代性，并且总是流向具有最大投资机会的国家。美国最终可能拥有更多储蓄，但是整体经济却依然低迷徘徊。储蓄将会自然而然地流向印度和中国这样充满投资机会的高成长国家。

三、新一代劳动者生产力令人担忧

当然婴儿潮世代的退休并不一定意味着美国经济的停滞。总还是会有满怀工作热情的年轻劳动者来接班，填补由于婴儿潮世代的退出而产生的劳动力空缺。但是，这些新增劳动力的数量要少于退休人员的数量，因此 GDP 必然会下降。

出来接班的新一代是否能够具有像婴儿潮世代一样的生产力，甚至超过他们的前辈？毋庸置疑，在新一代的接班人中必然会有一些表现突出的成员，他们能够积极利用受到的良好教育，运用各种先进技术优势，将他们的生产力发挥到最大化。然而，这对于他们的整个世代来说，并不具有代表性。

大企业和有钱的院外集团游说人士腐蚀美国政府的恶果之一就是，中产阶级家庭和他们的后代在教育、医疗保健和就业上所得到的机会越来越少。美国的收入差距比1900年以来的任何时候都要显著。对于普通家庭来说，进入常春藤联盟校就读的机会虽然存在，但是绝大多数机会都属于那些富裕家庭的后代。预测一名一年级小学生未来在教育和事业上获得成功概率的最佳指标，就是他父母的收入水平。美国式的精英模式已经遭到毁灭，这个国家不幸地接纳了旧欧洲式模式，陷入对财富继承、地位、身份以及特权的追求，这些本来都是在美国建国之初受到唾弃的东西。

这意味着众多年轻美国人无法获得他们本应拥有的发展机会。把最好的教育资源集中于最富裕的10%的人口，对于经济发展来说毫无益处。在一个不断成长发展的经济当中，每一个人都应当获得教育机会，以作为提升自我的途径，这种机会的欠缺必然会导致经济的下滑。你永远无法预知下一个沃伦·巴菲特或者比尔·盖茨将会在何处出现，但是如果每个人都能被赋予相同的机会，那么他们或许不太可能出自于最富裕的10%的美国人之中。事实上，如果机会对于所有人都是公平的，那么这个概率将只有1/10。假如不对中产阶级进行投入，没有人知道我们未来将会失去多少个巴菲特和盖茨。

然而，年轻美国人数量相对于婴儿潮世代美国人数量的下降趋势却存在着一个例外，这就是近年来出现的规模约2 100万人的移民潮。这些移民中的大部分来自于墨西哥，尽管他们异常勤奋和谨慎，关心自己的家庭，但是这些移民仍然属于被忽视的阶层。他们来自于一个生活水平远逊于美国的国家，教育程度低于普通美国人。在加利福尼亚州，少数族裔已经占据了人口构成中的大多数，而到2050年时，少数族裔在全美范围内都将占据人口构成的大多数。这将是一件非常美好的事情，美国终于可以消除"非洲裔－美国人"、

"拉美裔－美国人"或"亚裔－美国人"等词语中的连接符，最终所有美国人都将融为一个整体。

但是，仅从 GDP 和财富角度来看，很难指望新移民能够拥有和正在退休的婴儿潮世代同样的生产力。尽管移民后代们在努力获得更好的教育，然而日趋没落的公共教育系统、大学奖学金基金以及学生贷款规模的缩小，使得这一切更加困难。我并不想明确移民对于美国到底有益还是有害，我只希望指出非常简单的一点，正是由于到目前为止美国涌进了规模巨大的移民，而这些移民又多来自于落后的发展中国家，因此你可以预期，由于劳动人口中高生产力婴儿潮世代被这些新增劳动力所取代，美国的整体 GDP 和人均 GDP 将出现下降。

另外那一部分美国年轻人的状况也好不了多少。正如我所指出的，今天有很大一部分美国年轻人能够承担责任，接受良好的教育，即便不能超过他们的父母，至少也能和他们的父母一样勤奋工作，确保实体经济中宝贵的、具有生产效率的雇员的存在。然而你同样也能看到，周围有许多年轻人变得迷茫失落。而且问题并不局限于那些来自弱势阶层的年轻人。

众多富裕家庭的后代过于依赖他们父母的恩赐，而不是积极为自己在劳动市场上谋得合适的位置。尽管对于一个 18 岁的年轻人来说，享受大学时光，并从父母那里获得资助是一件非常正常的事情，然而今天有很多 25 岁，甚至 30 岁的年轻人在依靠父母的资助生活，即使没有住在父母家中，也是住在父母购买的公寓和住宅之中。这些年轻人每天平均要在电视机前坐上五个半小时，这还不包括他们上网冲浪、用手机和朋友聊天，以及玩电子游戏的时间，这个事实足以令人担忧。美国的肥胖年轻人数量已经创下纪录，而忧郁症以及其他精神疾病患者的数量也在上升。

与此相反，印度的孩子们每天早上 7 点就要起床，学习两个小时后，到学校再学上八个小时，然后回家一直学习到晚上 11 点，他们的母亲经常要把晚饭送到他们的房间，好让他们不用中断学习。我当然认为这样有些过分，作为年轻人，有时候也需要保持童稚和轻松的玩耍，但是如果仅从经济角度来看，哪种模式更加有益自然是一目了然。

因此，我认为下一代美国人被分成了两部分，一部分动机明确，受过良好教育的美国年轻人将确保生产力和成功的人生；而另一部分则是那些衣来伸手、饭来张口，并日益萎靡的年轻人，以及来自于弱势阶层的年轻人。你对于如何划分这些不同部分的比例或许会有不同见解，但是很难想象，作为一个整体，他们能够完全替代婴儿潮世代和他们充沛的生产力。

四、危机比想象中更严重

最后，为了对未来做出预测，对美国经济的健全度能够产生巨大影响的一个因素就是全球整体经济的表现。在过去30年间出现的一个很好的现象是，许多新兴国家开始向自由市场经济转型，从而显著地减少了贫困，增加了经济产出。如果这次经济危机导致了第三世界经济发展的倒退，这将会是一个极大的讽刺。然而不容置疑的一点是，第三世界的经济将会由于美国和欧洲消费的减缓而承受巨大的压力，全球经济将会陷入衰退，商品价格也会出现剧烈下滑。没有人知道这些新兴国家的政府将如何应对不断增大的经济不确定因素，以及它们是否仍将驻足于自由市场经济的独木桥上，并为它们的国民带来经济的高成长和繁荣。不需要任何理由，拉丁美洲的许多国家已经开始朝着社会主义大幅度转向。这些国家因为实行资本主义而遭受了最惨重的伤害，它们引入的那些最贪婪的企业迅速地并购且独占了这些国家的自来水公司、电力公司、电话公司等基础公用产业，然后将服务价格提高3倍甚至4倍。

　　过去 20 年间，基于全球贸易的思想开放也同样有益于世界经济的发展。需要再次指出的是，如果由于经济崩溃而造成世界各国贸易协定已经取得的进程出现倒退，这将会是一个耻辱。然而，在经历全球经济衰退的时候，那些正承受着税收收入减少、经济低迷的国家，将会面临更大的降低进口的压力。美国在这个问题上的主导权已经被严重削弱，这不仅是由于伊拉克战争，也因为美国向全世界的国家和银行贩卖垃圾房贷证券所致。

　　虽然世界从来就没有获得过真正的安全，但是油价的下跌和恐怖组织的攻击性已经对全世界爱好和平的国家形成了威胁。在许多国家，清洁水源的供应量不断减少，化石燃料供应的持续减少和全球温暖化使得对新技术革命或者降低地球人口的要求迫在眉睫。显然，地球正以它独特的方式告诉我们，这个星球已经超载。全球温暖化正是这种表现方式，当中国、印度以及其他人口大国的发展程度能够与美国相当时，事态将会比现在恶化 10 倍。

　　因此，那些采取终身买入并持有策略，认为所有股市下跌都只是暂时现象的美国投资者，或许应该重新考虑当前的股市下挫。这也许是一场严重得多的全球经济低迷，而美国未来在全世界的领导地位将岌岌可危。毫无疑问，美国将依然是一个主要参与者，然而毫不奇怪的是，美国的实际人均 GDP 在未来的岁月中将会持续减少。如果你能够确定你所投资的国家在未来不仅会安然无恙，而且还将更加繁荣，那么购买并持有当然是非常正确的投资策略。我相信，一旦道琼斯指数触及 7 000～8 000 点的谷底，就将停止下跌，但是也不会出现快速回升。我预计未来 10 年中美国经济将会停滞不前，而在此之后则要依赖于美国人是否能够重新控制政府，促使政府尽责地对企业进行监管。当前美国政府的腐败无助于经济的健康发展。自由市场是创造财富的必由之路，但是如果没有监督和法制，就不会有自由市场。

第十三章 最有可能化险为夷的投资方式和国家

在当前这种艰难时刻，在彻底弄清究竟应该把你的钱放在哪里之前，对于这场瘟疫般的危机就不能算是完全理解。对于各种投资机会的详细验证，将会有助于正确理解在困境中所谓"现金为王"的真正含义。

今天的投资者从来没有经历过货真价实的金融危机。在现实中越来越难遇到年纪大到曾经经历过大萧条的人士，尤其是投资者，来帮我们回忆艰难的大萧条时代。虽然从那之后也曾发生过各种各样的经济衰退，但是却没有任何一次在规模上可以与这次匹敌。当前的这场危机之所以独特，不仅在于其严重程度，以及预期的持续时间，也在于这场危机将对全世界所产生的广泛影响。

人们在面临金融危机时，之所以更愿意持有现金，是因为几乎所有的资产都存在着资本金亏损的巨大风险。不管承诺的利息和回报如何，不良投资所造成的资本金损失将使总回报显得微不足道，甚至变成负值。在任何时候，为了1％的回报而将你所持资本的10％～20％置于风险之下，都是不值得的。

公众很难理解这个概念。投资者们已经习惯了两位数的回报率。

果你能够在经济不景气的时候依然保证你的资本及其购买
力不受损失，那么相对于其他价值正在缩水的资产，你的投资就算
是成功。

即便回报率不高，却依然保持流动性。持有大量现金的好处就
在于，当资产价格下滑时，你随时可以乘虚而入。保持流动性和大
量现金的优势主要表现在，其他潜在的资产购买方由于在经济泡沫
时期利用了过高的杠杆率，导致在经济崩溃之后无法由于低资产价
格而抄底，并且银行也不会贷款给他们。因此，那些持有大量现金
的人将会在不同种类的资产中发现巨大的机会。当然，在市场出现
崩溃时，总是很难准确确定位谷底在何处。但是，当资产价格下跌了
50%～60%时，相对值就会一目了然，假如你有足够的耐心，最终
总能得到实际绝对值。

一、不要持有任何普通股

让我们通过逐一验证不同资产来展示这场瘟疫的现状和未来，
以及持有低回报率的现金为何能够成为一种具有吸引力的投资选择。
首先，让我们检验一下普通股票和债券市场。股票要比债券更具风
险性，这是因为债券持有人将首先获得企业的现金流，剩余的现金
流才会由股东来分配。当经济低迷时，你将会看到，由于金融杠杆
的存在，流向股东的现金流要比流向债权人的现金流更不稳定。债
券持有人在市场繁荣时上行概率较小，因此当市场不景气时，相对
的下行风险也就较小。

在某种程度上，这也正是美国资本市场上正在发生的事情，美
国股市到2008年年底为止，已经缩水大约40%。考虑到由于房市崩
溃引发的美国经济衰退才刚刚开始，因此离触底应该尚早。当然，
在当前金融机构指数下跌56%的情况下，金融机构已经成为大输家。

住宅建筑业的总市值出现了 60％的巨幅损失。超过 80％的房贷中介公司已经倒闭。不过损失并不仅限于住宅不动产行业。

由于银行遭受巨大损失，因此紧缩信贷，于是不动产和建筑公司开始解雇员工，整体经济进而陷入困境。住宅拥有者通过二次房贷和房贷再融资获得的资金开始减少，而这些资金本来不仅用于购房，也用于购买汽车、游艇以及度假。许多住宅拥有者发现他们的房子太大，自己无法负担，得益于可调利率和选择支付贷款，大量购房者的房贷支出跃升了 50％，甚至更多。这导致那些已经花销了实际工资一半以上的资金，来努力保住现有住宅的住房拥有者陷入现金周转困难的境地。在状况良好时，他们只有微不足道的现金储备，而现在他们完全失去了现金储备，他们开始缩减日常消费以节省资金。餐饮业股票陷入低迷，零售业股票出现暴跌，星巴克也在人们意识到自己无须每天花 4 美元喝咖啡也可以生活的情况下关闭了数百家店铺。

当经济持续衰落时，其他行业的股票价格也开始下跌。人们不仅开始削减购买汽车和游艇这样的大笔开支，对于服务的需求也开始减少。他们将购买大宗物品的计划推后。企业不再需要扩大生产以满足客户需求，因此中止对于新工厂的大型投资计划。在这种情况出现后，即便是像土方公司之类的深周期行业也将受到冲击。商业投资的放缓，将使重型机械企业和大型建筑公司深受其害。

另外一个将因此次经济衰退而遭受打击的领域是高科技行业。金融业是电脑硬件、软件以及电脑服务的重要购买者。然而不仅是金融业将削减对电脑硬件和软件的购买，所有面临着资金短缺，而又无法以低廉的利率从银行和商业票据市场借到贷款的产业都将削减电脑软件系统之类的投资支出。正如汽车拥有者将会认识到他们不必每两年就换新车一样，企业主也将满足于那些使用了两年的软件，不再需要每年都进行更新。高科技股通常都属于高波动性股票

（high beta stock），也就是说它们相对于市场平均股票具有更高的波动性。这也是另外一个标志，预示了随着经济衰退的加剧，高科技股将会表现不佳。

基于这场危机的严重程度，我建议不要持有任何普通股。有部分专家认为，防御性股（defensive stock，指价格波动不显著的股票。——译者注）将会在此次经济衰退中表现良好。然而，像医疗保健行业类的传统防御性股票将无法做到这一点。虽然你会把医疗保健支出视为不可避免的成本，然而医疗保健费用如今已经占据了大众预算太大的份额，因此人们不得不削减必需的医疗保健支出。另外一个传统防御性股是食品行业，其中包括食品制造业和食品商。虽然这个行业的预期表现要优于大多数其他行业，但是我相信由于这次危机的严重程度，公众将同样会削减在这方面的支出。你也许会第一次在普通食品店里遇到行窃者，而不是在购物中心的服装店。由于在目前这种艰难时刻，客户会从品牌专卖店转向沃尔玛，因此名牌食品制造商也将会开始生产更多大众化的产品。

令人遗憾的是，在普通股中表现最佳的大概就是酒精和烟草类成瘾性产品制造业。当世道艰辛时，却又总是成瘾性产品盛行之日，酒精类饮料更是会由于经济衰退所造成的痛苦而大行其道。在以前的经济衰退中，电影业也同样因为人们渴望逃避支离破碎的现实世界而盛极一时。但是，依照我的判断，即便这些防御性股的表现相对于其他股种会好一些，它们也将出现净负回报，在未来数年间，低收益的现金才是表现最佳的资产。

二、债券同样在劫难逃

接下来要验证的是债券。在本书第十章中已经讨论过美国的地方政府由于这场危机而面临的困境。可以确定的是，你不应该持有地方政府债券，或者介入基于地方政府债券的短期资本市场。在经济出现问题时，公众必须像那些不再出去逛街从而避免购物的人们一样小心谨慎。在面对一系列投资途径时，一些投资者会选择回报率最高的选项以获取高额利润。当地方政府在资金获取上遇到越来越多的麻烦时，其发生破产和债券违约的风险也就越来越高，而那些承担着最大风险的地方政府在资本市场上制订的回报率也就最高。一个陷入困境的地方政府、政府房产部门或空港所发放的免税债券，由于破产风险的加大，其回报率要比同类债券高 50～100 个基点。假如你只关注具有最高回报率的地方政府债券，那就是在投资于破产风险最大的债券。虽然很难准确预测哪一种地方政府债券将会出现问题，但是由于这类债券缺乏完善的财务报告，因此最好的策略就是，不管回报率如何诱人，即便其所产生的利息属于免税范围，也应该避免投资这类债券。

许多将资产从高风险股撤出的人又错误地将他们的资金投向了企业和美国联邦政府债券。同样，为了获得更高的回报，这些人会倾向于投资长期债券。在当前这种环境下，这种投资选择将会是一个可怕的错误。虽然许多经纪人以完全无风险的名义销售政府债券，但是事实并非如此。当购买附息国债（coupon treasury bond，按期支付利息的国债。——译者注）之类的固定收益证券（fixed-income security）时，在债券到期前，你的适用利率将被锁定。在此期间如果出现明显的通货膨胀，市场利率会随之上升，你所持国债的市场价值也就出现下跌。假如你不得不在这笔国债到期之前就将其脱手，那么你将无法收回这笔债券的全部票面价值。在通货膨胀程度比较显著时，这类债券的交易价格比票面价格低上 30％～40％ 也不足为奇。也就是说，你将因此损失资本金的 30％～40％。

即使你决定将这笔债券一直持有到期，也无法避免这种损失。这一点更加难以察觉，以 10 年期国债为例，你虽然收回了 10 年前

所投资的 100 美元，可是由于通货膨胀的冲击，100 美元的购买力现在已经出现缩水，并且这个损失有可能非常显著。如果通货膨胀率每年上升 8％，经过 10 年的时间之后，你最初那 100 美元的实际购买力将缩水到 40 美元。你自认为针对美国政府的这笔投资安全可靠，然而你实际上因为这笔投资损失了 60％ 的购买力。这并不是一项正确的投资。

企业债券也是同样道理。与上面的例子一样，你也有可能因为稍高的回报率，而被高评级的企业债券而非美国国债所吸引。但是，不管你的投资对象是企业还是政府，如果你选择的是 3～4 年以上的长期投资，而企业或政府向你承诺的是固定收益回报，那么一旦出现大幅通货膨胀，将要承担风险的就是你自己。由于你所获得的固定利息不会随通货膨胀率上调，因此你将蒙受购买力缩水的损失。

避免这种情况的一个方法是投资短期债务证券。不过这种方式也存在两个问题，首先，在经济困顿之时，每个人都会有同样的想法，因此这类证券的回报率就被压缩到了最低。在此次危机当中，三个月期的政府国债回报率甚至曾经一度变为负值。也就是说，你是在付钱给美国政府，让它持有你的资金，而政府却没有因为占用你的资金而向你支付任何利息。实际上，在按照通货膨胀水平进行调整之后，你获得的实际回报率明显为负值，也就是每年－4％。

其次，虽然你相信自己能够通过对企业和银行的短期投资来规避破产风险，但是这其中却包含着一个所谓的"囚徒悖论"（prisoner's paradox）。在当前这种经济极度混乱的时刻，预测一家企业是否明天就会宣告破产几乎跟预测这家企业 10 年后是否会破产同样困难。这就像那个著名的哲学悖论中的囚犯所面临的困境一样，国王告诉这个囚犯，他在未来 30 天内将被砍头，但是具体行刑日期会出乎这个囚犯的意料。于是这个囚犯推理出，如果他能坚持到第 30 天，就可以免于砍头，因为如果在这一天行刑，那么对于他来说就是意料之中的事情。于是从第 30 天开始回溯，这个囚犯同样能够不断说服自己，基于相同的理由，他也不可能在第 30 天、第 29 天、第 28 天……依此类推下来的任何一天被砍头。但是就在此时，国王的刽子手却走进牢房，把他的头砍了下来。试图提前一天、一个星期，或者一个月来预测某家企业的破产也将会导致同样的结果。

三、高通胀时期的最佳投资选择

在资本风险和通胀风险极高的时候，最佳的投资选择非"抗通胀债券"（Treasury Inflation-Protected Securities，TIPS）莫属。这是一种由美国财政部发行的债券，其回报率虽然一般，但是经过调涨的回报率完全和通货膨胀率保持一致。由于美国财政部会为同期出现的通货膨胀率进行担保，因此你的资本金的购买力不会出现任何改变，交易价格也总是会和票面价值相差无几。在当前这种混乱时刻，很难想象还有哪种投资选择能够确保你的投资资本在按照通货膨胀率进行调涨后得到返还，且确保你资本金的购买力不变。

有意思的是，房产本身传统上也是有效规避通货膨胀的一种投资。尽管普通股在通货膨胀时将会表现欠佳，但是房产股却会出现至少与平均整体通货膨胀率相同的增值。不幸的是，在目前这种状况下，由于房价相对于实际价格依然存在着被高估的情形，因此也很难从这种长期关联性中受益。不过，根据你所在街区的具体情况，以及房价触底的时机，房产终将会成为具有吸引力的投资选择。然而必须记住，购买一套住房，然后自己居住的行为并不算投资，而是消费，因为你将出租收益消费掉了。当我谈论房产投资时，指的是由此得到的出租收益不仅用来偿付房贷利息，并且还用来支付房屋的维修费用和房地产税。假如是这种情况，并且你又在房市成功抄底，那么从长期来看，你的房产价格将会依照整体通货膨胀率出

现增值，从而保护你这笔投资的购买力不被削弱。但是，大多数美国城市的房价离真正的谷底尚有 20％的下跌空间，因此，在房产上的投资就需要具有更多的耐心。

购买商品同样也能够有效规避美元通货膨胀的影响。原因在于当你利用美元购买硬资产（Hard Asset，具有一定价值的实物性资产。——译者注）时，你实际上是在通过做空正在出现通货膨胀趋势的美元来购买资产。诸如商品之类的硬资产价格通常会在高通胀时期出现上涨。这并不是因为需求增加，从而使这些商品的内在价值得以提高，而是因为用来衡量这些商品价值的货币，也就是美元自身发生了贬值。因此，如果你通过物物比较来衡量不同商品的价格，就会发现它们的价格其实变化不大，只是由于美元的膨胀而造成了它们价格的波动。所以，当通货膨胀发生时，你可以通过商品投资来作为保障购买力的有效策略。

为了保障购买力而进行的最简单的商品投资就是黄金投资。这是因为黄金在全世界得到广泛储备，较少用于商业用途，并且相对于全球储备总量，新开采量极其有限。这就意味着黄金可以作为一种非常有效的货币。世界上的黄金总量很难得到迅速膨胀，由于美联储可以在其愿意的任何时候增发美元，使美元发生通货膨胀，因此黄金甚至是比美元更可靠的货币。从长期来看，黄金可以有效规避美元出现通货膨胀的风险。遗憾的是，金价的波动性使黄金难以作为规避短期通货膨胀的有效手段。在投资之前，你必须明确当前市场价格是否属于黄金的合理价位，抑或存在着一定的价格扭曲。由于这个原因，抗通胀债券反而能够更有效地保证你的本金不受损失，规避未来不可预测的通货膨胀。根据一个与黄金价格有关的传统经验法则，一盎司黄金的价格应该大约相当于一套做工精良的西装的价格，因此按照目前 750 美元/盎司的金价，这个法则看上去也符合当前的实际情况。如果你准备进行的是 5～10 年的投资，那么投资黄金将会有效地规避通货膨胀。

黄金以外的其他商品，例如铜、钢铁、猪肉等，都会受到经济活动的影响。在整体经济中，生产和消费的增加会导致产品实际需求的扩大，因此当经济出现衰退时，实际价格也就自然会随之下降。但是价格下跌却会产生误导作用，因为这些商品价格都是以名义美元，而非实际美元标价。这将会导致两种相反效应的发生。一方面这些商品的价格会由于增发美元而导致的整体价格的上升而上升，另一方面它们的实际价格却由于经济低迷所造成的工业生产和需求的萎缩而出现下跌。可以负责任地说，除黄金之外的实物性商品的名义价格变动在高通胀、不景气时期会变得难以预测。因此我本人将避免进行这一类投资。

任何风险资本投资、私募基金，或对冲基金之类的高风险投资都应该避免。由于公众开始从绝大多数风险企业撤资，因此风险资本将会急剧减少。对于这个法则的唯一例外，就是那些能够在公开市场上占据份额的快速成长的小型企业。私募基金公司由于投资的高杠杆率，在正常情况下也属于风险度较高的行业，因此将面临更长期的困难。私募基金并购企业并通过杠杆将其抬高的商业运营模式，将会在债务资本成本高昂、银行对于企业的杠杆率设限严格的环境里失效。尽管由于股价崩溃出现了一些收购机会，但是这需要私人投资者理智地做出判断，分辨哪一些股票具有实际购买价值，哪一些股票所代表的公司行将倒闭。最后，针对一家处境艰难、收益下降的公司的股票，你应该做的是按照一定的财务杠杆基数来进行收购。因为还是同样道理，在经济繁荣之时，杠杆回报率将会倍增，但是当遭遇经济不景气时，损失也同样会被放大。

对冲基金投资业由于本身正承受着巨大压力，因此出现了大范围的减退。监管改革将迫使对冲基金业提高透明度，而透明度的增加又会迫使它们转而通过传统方式，也就是以诚实的方式获利。通

过根除那些此中老手们之间进行内幕交易的网络，杜绝针对特定股票的市场操纵，以及将对冲基金从信用违约掉期市场排除出去，对冲基金的管理者们最终将会发现他们的收益出现剧减。同样，他们曾经利用的财务杠杆会在由于资产价格下跌而导致的市场低迷期间对他们自身造成伤害。对于许多对冲基金而言，一旦受到监管，它们就会被摈弃，因为它们不再可能对市场平均回报进行操纵，并且在一个受到高度监管的信用违约掉期市场之中，也不再可能有小型对冲基金来赚取保险金。

四、中国力量不容忽视

尽管我对各类资产做出以上结论是基于美国的情况，但是这个结论同样也适用于世界绝大多数国家。不管你身处哪一个国度，一直到这些资产价格触底为止，现金永远为王。全球金融系统由于美国房贷的损失而遭受威胁，这又将导致在世界范围内出现信用紧缩。

欧洲国家正面临着双重打击。由于中央银行过快地扩大货币发行量，以从美国房贷损失中拯救它们的商业银行，欧洲国家从很多方面来看已经陷入经济衰退之中。不过到目前为止，欧洲经济衰退的根源主要在于它们的银行由于美国房贷而遭受的打击。欧洲许多国家的房价下跌现在才刚刚开始。当英国、爱尔兰和西班牙最终经历25％～35％的房价下跌之后，它们的银行也将会出现巨额损失，它们的金融系统和金融机构将越来越濒临破产边缘，而剩下的那些银行则会大幅收紧信贷，从而将这些国家进一步推入衰退的深渊。在未来4～5年之中，如果欧洲的实际GDP出现10％甚至更大幅度的下降，我丝毫不会感到惊讶。毋庸置疑，这不是一个你愿意投资的环境。事实上，就大多数人的定义而言，GDP的10％下降正是经济衰退与经济萧条的分界线。

澳大利亚和新西兰的房市跟美国和英国一样受到了高估，因此这些国家也预期会出现大约30％的房价下跌，因此导致的银行损失同样也会在这些国家造成大幅的经济倒退。

一旦美国和欧洲由于银行的信贷紧缩和消费者需求的减少而陷入严重的经济衰退，势必将导致全球生产和消费需求的巨幅下降。美国和欧洲依然占据了全球GDP的一半以上，欧洲人和美国人的消费代表了消费者的最终产品需求。其他国家虽然制造生产了欧美国家所消费的绝大部分产品，但是消费的主导权依然由欧美国家掌握。当美国和欧洲的经济出现问题时，全世界的经济也都会随之出现问题。

这一点对于新兴市场尤为明显。以非洲为例，尽管非洲经济取得了每年5％的显著增长，并且迄今为止，这主要归功于针对非洲产品需求的上升。由于商品价格的迅速上涨，虽然这些非洲国家生产的各种矿产和资源产品数量并没有增加，但是它们的GDP依然得到了大幅度增长。这一切随着全球经济衰退的出现戛然而止。在按照整体通货膨胀率进行调整之后，商品的实际价格将会随着全球产品和服务需求的减少而下降。非洲暴露出了一个非常简单的事实，它们在大众教育程度和技能水平，也就是生产效率方面进展有限。甚至像尼日利亚这样的产油国也由于全球经济减缓所导致的石油需求下降而遭受了大幅度的收益减少。全世界的人们都在减少汽车的使用，调低房间的温度以削减取暖费用，并且企业也因为削减生产而降低了对于化石燃料的需求。

至于巴西、俄罗斯、印度和中国这四个所谓"金砖四国"（BRIC）的经济，你可以认为巴西的经济状况相对来说是其中最好的一个。我之所以用"相对"一词，是因为即便巴西也将会因为全球经济增长的放缓而导致其经济总量出现显著下降。巴西在发展内需市场上做得非常成功，并且试图摆脱对于外国石油的依赖。但是

巴西经济依然高度依赖出口，并且将会因全球经济状况的恶化而出现困难。俄罗斯与非洲一样，到目前为止，几乎完全依靠石油天然气类商品的出口来推动经济增长。石油和天然气使俄罗斯成为一个富裕国家，但是当油价下跌时，俄罗斯的财富也同样应声下跌。俄罗斯的腐败政权阻碍了真正的企业家阶层和新型商业形态的发展。俄罗斯的政治寡头和亿万富翁并不是来自于像比尔·盖茨这样的群体，而是来自高高在上的弗拉基米尔·普京的钦定。正是由于俄罗斯的石油天然气财富，俄罗斯丧失了完善自身基础设施，确立公正的法律体系，从而使财富能够为所有俄罗斯公众共享的真正机会。因此如果俄罗斯最终破产，那也不足为奇。

印度在过去 10 年间取得了平均 7%～8% 的经济增长率，其投资回报率也同样表现不俗。然而不幸的是，人们已经开始逐渐意识到，印度的投资热潮在很大程度上是来源于印度商业银行的资金支持。显而易见，随着信贷紧缩的持续，这类由商业银行支撑的投资支出将逐渐减少，并最终消失。印度在拥有庞大的官僚机构和臃肿的民主联邦政府的情况下，制定战略方向，取得了与中国相近的成长速度，任何熟悉印度事务的人都会为此感到惊讶。但是从现在开始，商业银行投资逐渐放缓，印度新经济的潜在实力将会受到考验。许多专家主张，印度受过良好教育的精英阶层成功地通过网络外包获得了高科技服务工作，然而这种模式难以在遍布印度大陆乡村的那些教育程度低下的民众身上得到复制。因此，我毫不怀疑印度的经济增长速度将会降低，其 GDP 也将下降。

最后就剩下了中国。如果是在这场危机之初，我将不得不告诫你，我本人非常排斥到这个国家进行投资。尽管中国在过去几年实现了两位数的年均经济增长率，但是它的股市、房市（包括商业不动产和住宅不动产），以及其经济的一部分都存在着人为制造出来的泡沫。正如房市繁荣期的美国购房者一样，中国人对于股票、公寓，或者办公楼的需求大得难以得到满足。但是现在，中国股市已经从顶峰期下挫了 70％，也因此排除了股价中的大量泡沫。

如果让我以当前股价水平为依据，选择一个具有良好发展前景的国家，那么我将不得不选择中国。我无法不被中国人的劳动观念，以及他们对勤劳、节俭、投资和成长的执著信念所打动。任何观看了 2008 年北京奥运会开幕式的人都会同意我的看法，中国是一支不容忽视的力量。

在这场危机中，中国也同样会经历经济增长速度的放缓，但是仍然能够确保正增长率。中国之所以能够展现出诱人的投资机会，是因为相对于其潜在的经济增长规模，中国的相对估值（relative valuation）尚处于相对低位。美国拥有 3.1 亿人口，全部上市公司的市值总额约为 8 兆美元。中国有 13 亿人口，全部上市公司的总市值约为 2 兆～3 兆美元。显而易见，中国经济的发达程度要低于美国，然而这正是关键之所在。投资中国的优势在于，没有任何证据可以证明中国人无法实现跟美国人同样的生产力和人均收入。美国华裔的平均收入甚至比美国白人更高。因此，如果中国实现了与美国相同的人均 GDP，这意味着中国的 GDP 总量将会达到约 60 兆美元。也许需要 30～40 年才能实现这个目标，但是这代表着中国经济将从现在的 1.6 兆美元的水平开始出现巨大的增长。并非所有的增长都将反映在中国现有上市公司的市值上，但是大部分都会如此。对于以资本运作为基础的企业而言，展示自身成长的最简单方式并非占领市场份额，也不是提高员工效率，而是其产品和服务销量的上升，而这也正是中国人所期待的。虽然并非毫无风险，但是如果要我在正面临此次经济危机的全球市场中进行长期投资的话，我将会把自己的资金投到当前这种股价水平的中国市场。

其他如东欧和亚洲国家这样的小型新兴市场，在此次危机中由于风险过大而不宜进行追加投资。国家也有破产的可能，小国经济

会因为出口下降而低迷，政府收入在经济危机时期会由于出口费用、进口关税，以及税收收入的下降而减少。乌克兰、匈牙利、罗马尼亚和其他前东欧集团国家都存在破产的可能性。

因此，可以得出以下结论：**现金为王，在即将到来的困难时期，抗通胀债券（TIPS）、黄金和中国是我所能提供的最佳投资建议。**现金和抗通胀债券的风险最低，并且如果你能够在谷底以低价购入资产，那么你就将在紧缩的信贷市场上获取巨大利益。黄金和中国股虽然属于风险较高的投资，不过在经济衰退持续、通货膨胀上升的时候仍将表现良好。但是，我希望向你传达的信息是，这只是一个预期表现尚可的资产种类名单。这个世界上的绝大多数资产种类和国家都将迎来异常艰难的时刻。

第十四章　止　血

　　我已经像放映汽车撞毁的慢动作电影一般讲解了房市崩溃以及房贷和银行危机。接下来我将继续分析这辆"汽车的残骸"，以找出为解决各种问题，从现在开始需要进行的改革。

　　当一辆汽车发生撞毁事故时，首先要做的就是抢救伤员，止住流血。在这里则是要进行分析，指出资本市场冻结的直接肇因，以及对全球金融系统造成的伤害。当汽车撞毁之后，关注的焦点将会是如何清理事故现场，而在我们这里，则意味着需要进行更长期的改革以整顿金融系统和监管体制。

　　最后，如果还有空闲的话，以汽车事故为例，事故原因将被确定，这场事故或许完全是由于某个刹车制造商的质量管理不善所致。于是一个根本性的问题会被提出，既然不合格产品可能会给他人生命造成威胁，那么这个刹车制造商为什么不能更加严肃地承担起应负的责任？

　　在本书第十六章中我将根据这种观点展开宏观分析。我希望能够找出造成房市泡沫及其破灭的真正原因，以及因此给全球金融市场所带来的打击，并且指出更多根本性的问题，比如国家应该如何

促进生产力的发展，政府应该如何运作，以及美国大众作为一个民族是否踏上了实现长远目标的正确道路。你也许会认为这类宏观分析缺少根据，但是在全球金融系统几近崩溃之时，如果我无法确定美国社会和公众的动机和需求，那么还有什么更值得去做？

因此，通过验证怎样才能打破美国和全球资本市场的停滞，我将首先聚焦于如何止血。美国前财政部长亨利·保尔森已经说服国会通过7 000亿美元救市法案，利用纳税人的资金收购金融机构的那些具有风险且大打折扣的房贷与抵押担保证券。保尔森仅仅提出了这一项所谓的唯一方案，并且不给其他选择方案充分的论证时间，他因此犯下滔天大错。我将首先指出保尔森方案的缺陷，然后论证是否还有其他更有效的方案。

一、美国救市法案的根本错误

保尔森方案的最大缺陷就是它将此次的危机单纯地定义为流动性危机，而非资本损失，或者银行偿付危机。他的方案假定，银行之所以不出售它们账面上的那些贬值房贷资产，是因为找不到竞价者。如果这个假设正确，那么美国联邦政府进行干涉，从各银行收购这类资产将会提供更大的流动性。然而时至今日，美联储和美国财政部试图大幅提高全球流动性的所有努力都已付之东流。2008年9月，全世界的中央银行向银行系统注入了超过3 000亿美元的新增流动性，然而银行之间的借贷成本依然持续上升。事实上，除了需要以证券作为信贷抵押的抵押市场以外，银行同业间的借贷已经消失。市场已明确表示出，即便是银行也不会在没有等价抵押品抵押的前提下向其他同业银行发放贷款。市场不再相信银行及其在危机中的生存能力。

这正是保尔森方案所犯下的最根本错误。为了向金融机构提供流动性，他的方案为那些受损的房贷产品和房贷证券创造了一个包销市场。然而通过这个方案创设出来的流动性市场，却使金融机构不得不承认在证券上蒙受的损失。今天的银行在交易活跃的市场内，在出现有利的流动性市场价格之前，并不会主动承认它们的损失。而保尔森在他的方案中建议创立的却是相反的交易程序，因此而创造的这样一个流动性市场，以及被确定的市场价格将使银行没有办法不公布自己的损失。

而这样的损失可能规模庞大。到目前为止，银行方面已经申告的损失大约有 5 亿美元，但是从长期来看，它们的损失将会更多。12 兆美元规模的房贷市场至少会出现 1 兆～2 兆美元的损失，而且这还不是银行业损失的极限。银行业持有大量杠杆收购债券 (leverage buyout debt)，这些原本都是用来资助私募基金收购企业的。银行的这类债券投资在信用枯竭时将会损失惨重，因为杠杆收购的因素，它们的资本结构中存在极高的杠杆率。当信贷进一步收紧，利率由于高风险而出现上升趋势时，这些企业很难继续生存。事实上，杠杆收购债券的出售价已经贬值了票面价格的 20%～30%。

除了住宅不动产，银行业在商业不动产上也面临巨大风险，这种风险在经济低迷时更是显得压力重重。在零售业者宣布减少新店铺的开设，甚至许多零售商宣布倒闭的形势下，购物中心由于高空置率而面临压力，中止开发，购物中心开发商的现有借贷也变得岌岌可危。作为银行业的一根支柱，建筑贷款也同样由于建筑完成之后不再出现长期房贷而面临着巨大压力。先前签署了承租协议的承租人扔下他们已经支付的首付款一走了之。写字楼空置率上升，新写字楼的建设随着经济低迷而放缓。由于独立住宅拥有量减少，本来以为公寓楼将会受到欢迎，结果也同样由于经济困境所造成的出租率下降而承受着压力。出租价格的下跌又进而给银行持有的公寓贷款造成重压。

　　从借贷角度来看，除了不动产，银行业的最主要风险来自于企业。企业贷款有时候会由于一些与经济无关的因素遇到麻烦，就像你在杠杆收购债券上看到的过度杠杆率，以及一些垃圾信贷。但是当经济出现萎缩时，一些经营良好的企业也将陷入困境。银行会由于企业的信贷违约而遭受损失，并且由于它们已经发放的限额循环周转信贷（revolving credit，只要能够按照规定按时偿还一定数额贷款，无须申请即可反复获得的限额贷款。——译者注），它们必须面对效益不佳企业的追加资金需求。作为最后一道防线，企业只有在陷入困境时才会利用限额循环周转信贷。银行在经济繁荣时赚取了丰厚收益，在经济状况恶劣时又成为最后的放贷者。

　　不仅是不动产和商业贷款，银行业的所有投资组合都将受到威胁。就像我们在本书第十三章中已经探讨过的一样，地方政府债券情况不妙，如果私营保险公司宣告破产，私人保险将毫无帮助。银行所持有的商业票据也将由于商业票据市场的动荡而受到威胁。

　　因此，银行业正面临着实实在在的困境，并不仅仅是一场流动性危机，也不是只要银行获得更多资金就能万事大吉。银行业在它们的资产组合上遭受的实际损失威胁到了它们的偿债能力，而保尔森方案对这个问题却无能为力。事实上，由于保尔森方案迫使银行更早地承认损失，从而加剧了事态的恶化。

二、问题的答案不在华盛顿

　　因此，保尔森方案的首要根本缺陷在于它只提流动性而没有触及银行损失与银行偿债能力问题。保尔森方案的第二个主要缺陷在于企图解决问题的步伐过快，没有给市场足够的时间来判断哪一家银行表现欠佳，哪一家银行应当中止业务。虽然在此次危机当中所有的银行都遇到了不同程度的问题，但是显然有一些银行在针对被高估住房与房贷的风险控制上要比其他同行做得更加成功。但是保尔森方案则是不管经营状况好坏，一味打算拯救所有的银行。保尔森方案看上去对那些表现恶劣的银行更加有利，因为这些银行正是保尔森计划收购的那些在劫难逃资产的最大风险承担者。总之美国政府似乎正在将纳税人的大部分资金交给最糟糕的管理者。

这些金融机构都拥有高比例债务杠杆，当然或许还存在着一线生机。可是美国银行和其他金融机构的财务杠杆率如果以债务股本比来衡量的话，大约为 12 倍，如果将资产负债表外交易也包括进来，那么这个倍率将会达到 25 倍以上。美国投资银行的财务杠杆率超过 30 倍，而欧洲银行的债务股本比更是达到了 35∶1。从这些数据中，哪里可以找出生机之所在？

花旗银行就是高财务杠杆银行的一个例证。花旗银行的股本金已经由于房贷业务的损失而从 1 100 亿美元跌到了 550 亿美元。但是当花旗银行的所有资产负债表外交易全部加进来以后，其总资产超过了 3 兆美元。这就意味着花旗银行的整体杠杆率超过了 60 倍，并且随着自身资产的进一步减少，这个倍率还会继续增加。毫无疑问这是一条通往灾难之路，也就是说，只要花旗银行损失总资产的 2％，就足以抵消其 500 亿美元的全部股本金。不过唯一值得欣慰的是，花旗银行拥有高债务杠杆。花旗银行的债券持有人向花旗银行投资了超过 4 000 亿美元的资金。在很长一段时期内，花旗银行的这些债券持有人甘愿承担比美国国债更高的风险而选择了花旗银行债券，因此也获得了比美国国债丰厚得多的回报。而现在也该是他们出来承担责任的时候了。

我们可以预估，当这个周期结束之时，花旗银行的股本将下跌到－2 000 亿美元。即便按照保尔森的方案，花旗银行将贬值资产出售给美国财政部，其自身命运依旧无法改变，花旗银行的权益账面价值仍然会是－2 000 亿美元。花旗银行已经在利用高价资产换取

现金，从而释放了其资产负债表上的一部分资本，然而花旗银行在改善自身权益账面价值上毫无进展，这就显示花旗银行无力偿还债务。

但是解决花旗银行难题的答案并不在华盛顿，这个答案就在花旗银行的资产负债表上，也就是说，在其资产负债表上的负债栏。尽管指望由花旗银行的储户通过短期储蓄来承担一部分损失不合情理，但是那些向花旗银行投资了 4 000 亿美元的债权人从做出投资决定的那一刻起就承担起了这个风险。如果债权总额达到 4 000 亿美元的花旗银行债权人能够承担相当于他们本金 50％的损失，那么花旗银行的权益账面价值立刻就会转为正值，这将足以支撑花旗银行继续经营下去，并且能够在下一年度进一步推动去杠杆化，出售资产以偿还债权人资金。

这才是资本主义的运作方式，也是金融业本来的运作方式。这既是破产法庭的应行之道，也是联邦存款保险公司（FDIC）的应行之道。保尔森方案是有损于市场运作的一大障碍。应该由市场来决定哪一家企业经营最差，哪一家企业在房贷问题上面临着最大的风险，又是哪一家企业已经失去了偿债能力。联邦存款保险公司可以很容易地与破产法庭联手制定一项促进破产预案，为花旗银行的债权人提供担保，让他们同意接受一定程度的损失，从而使花旗银行在两周之内就能在新的管理层领导之下，通过新的投资方式、杠杆策略以及大幅减少的债务总额，重新开展业务。

三、保尔森制造的道德风险

保尔森以前曾经进行过这样的尝试。他在贝尔斯登（Bear Stearn）救助行动中迅速介入，提供了 290 亿美元的资产担保，这样，贝尔斯登资产负债表上的负债即便高达 1 900 亿美元，其债权持有人也无须承担任何损失。对于投资贝尔斯登债务的投资人来说，这就好比在经济繁荣时，他们能够获得比投资无风险国债高得多的回报，而如果他们这项投资出现决策失误，贝尔斯登经营出现困难，那么他们就将遭受损失。

房利美和房地美也是同样的情况。保尔森让美国纳税人承担了两房 5.2 兆美元房贷资产中的 5 000 亿～7 000 亿美元的潜在损失风险。但是由于他的行动足够迅速，成功地抢在了两房所遭受损失在债务市场上被确认之前，因此保尔森事实上使房利美和房地美债务投资者的 1.6 兆美元没有蒙受任何损失。这些债务投资者以前从来不曾获得过美国政府的债务偿还担保，他们清楚自己是在和私营企业进行交易，房利美和房地美以前也并非美国政府的分支机构，这就是房利美和房地美债券投资者总是能够获得比美国国债高 1/3～1/2 个百分点回报率的原因之所在。这也就是他们为承担房利美和房地美的倒闭风险而获得的补偿。

现在房利美和房地美已经破产，保尔森先生却开始介入，阻止债务投资者蒙受任何损失。美国国会预算办公室（CBO）估算，纳税人由于接手房利美和房地美而出现的损失只有 250 亿美元。假如果真如此，那么持有 1.6 兆美元债权的两房债务投资者只需承担不到他们总投资 2% 的损失，就可以避免美国纳税人的介入。正像我已经指出的，两房损失将会接近 5 000 亿～7 000 亿美元，但却找不到理由能够说明为何房利美和房地美的债务投资者就不应该承担这些损失。由于两房的债务投资者在过去的岁月中，通过投资房利美和房地美这样的风险证券而获得的巨额收益，也由于他们对风险控制的不足，承担这些占他们投资资本 1/3 的损失，是理所当然的。

大众都在谈论汉克·保尔森以及他试图阻止道德风险（moral hazard）的尝试。他们认为，通过允许贝尔斯登、AIG、房利美和房地美的股票跌至零点，保尔森阻止了未来发生任何道德风险的可能。

所谓道德风险就是指公众期待他们的失败投资能够得到救助的风险。但是这些人没有认识到保尔森在债务市场上制造出来的巨大道德风险。保尔森实际上是在告诉债务市场的投资者尽管高枕无忧，在他们遭受任何损失之前，美国政府就会赶来利用纳税人的钱来救助这些债务投资者。这无疑是向债务投资者发出了一个极其糟糕的信号。

因此，比保尔森那种尽量避免失败的市场参与者兑现损失的方案更加有效的方法是，听由市场来做出决定，而且不仅是股票市场，债务市场亦然。不要过早试图利用纳税人的资金进行干涉，容忍债务市场上的任何损失。在银行的债务投资者被要求接受一定的损失之前，不要出手投资于银行股票。允许企业进行竞争，任由失败的一方破产。因为这些银行和企业都是金融机构，它们理应在资本市场上恰如其分地发挥作用，与联邦存款保险公司协同运作，构筑一种体制以尽早解决破产问题。确保债务投资者们承受合理程度的损失，为那些财务杠杆率过高的金融机构重建未来发展的坚实基础。对于那些诱发危机的人们，应该让他们自食其果，因为正是他们的借款使过度杠杆率成为可能。一旦这些企业重获偿债能力，就应该允许它们重新进入市场，采用新的管理模式，在长期范围内推动去杠杆化进程。只要这些企业接受破产，这一切就能够实现，因为它们的不良资产将会因此从其资产负债表上剥离。

如今保尔森法案已经被美国国会通过，下一步就是证明这个法案在解放信贷、刺激银行同业间借贷问题上将会如何的无能为力。然后再集中探讨，对于这场危机，什么才是行之有效的解决之道。

四、破产在所难免

在破产过程中，一些银行将被认定为不应继续苟延残喘。这些银行不存在任何优良资产、有效管理，或者正确的经营策略，能够使其继续维持下去。因此，就应该去找那些资质优良、经营良好的银行来接收这些资产。这些银行的潜在购买者应当存在，因为银行的存款基础依然具有价值。今天的银行通过它们的储户和消费者借贷分支业务赚取着巨额的利润。就像摩根大通（J. P. Morgan）收购华盛顿互惠银行（Washington Mutual）的例子，华盛顿互惠银行的储户存款和客户网具有极大的价值，华盛顿互惠银行的储户群加入摩根大通的银行服务和信贷管理之中，这就创造出了巨大的协力优势。

你也许会质疑，为什么保尔森没有考虑过这个方案？我相信他确实也曾经考虑过这个方案。愤世嫉俗者们一定会说，保尔森自己就来自华尔街，他清楚债务投资群体不仅在华尔街，而且在华盛顿特区也势力庞大。人们早已把对冲基金视为对华盛顿施加影响的重要幕后操纵者，但是在规模更大的债务投资群体面前，对冲基金也显得相形见绌。如果保尔森的头衔仍然和以前那样是一家投资银行的 CEO，那么他当然会尽全力取悦债务投资者。而如果他的头衔是需要向美国国会负责的华盛顿的政府管理者，他也依然需要讨得那些债务投资者们的欢心，因为他们是国会议员们的最大政治献金来源之一。

但是还有另外一个对保尔森的思维造成重要影响的因素，那就是信用违约掉期市场。信用违约掉期市场 10 年前还是一个 1 400 亿美元规模的小型市场，今天已经成为一个 65 兆美元规模的庞然大物。最初这个市场被视为一种风险规避工具，现在却已经堕落成了一个纯粹的赌场，身在其中的人们不断押下赌注，看看哪一家企业将会接着倒闭。由于这个市场的庞大规模，它向那些试图规避风险的债权人所提供的好处显得微不足道。

举例来说，贝尔斯登在拥有 1 900 亿美元负债时宣告破产。但是，在信用违约掉期市场上，担保贝尔斯登不会倒闭的契约总值却有 2 兆美元，这根本就不合逻辑。一部分持有 1 900 亿美元贝尔斯登债务的债务投资者为了规避风险而购买了保险，以防贝尔斯登宣告破产。但是 2 兆美元的保险金额显示，大多数投保者完全是在投机或者赌博。保险的承保方指望赚取这笔来自永远不会破产的企业的，像飞来横财般的保险费，而投保方则准备在贝尔斯登宣布破产时大捞一笔。

相对于 65 兆美元的信用违约掉期市场规模，美国企业债务总额仅有 26 兆美元，这个事实显示信用违约掉期市场的投机性已经发展到了何种程度。保尔森无法容忍个别投资银行、AIG、房利美、房地美，或者任何其他主要商业银行宣告破产的主要原因在于，这些金融机构的破产将会在信用违约掉期市场内触发数兆美元的赔付狂潮。当然，愤世嫉俗者们会再次主张，由于对冲基金签署了大量的信用违约掉期保单，因此它们将会是最大的输家，但是因为它们又是华盛顿的重要政治献金捐赠者，所以必然会在幕后装神弄鬼。但是姑且无视其中的利益冲突，一系列大型金融机构破产触发的数兆美元规模的赔付狂潮，必然会造成剧烈动荡。

因此，保尔森清楚自己的任务费力不讨好，那就是应付所有濒临破产的华尔街企业和金融机构，竭力阻止大规模破产诱发信用违约掉期市场的崩溃。考虑到银行抵押业务的损失规模，以及随之出现的由于企业亏损而导致的经济衰退，这项任务对于保尔森来说确实是勉为其难。破产潮的发生在所难免。这种困境的根源应该定义为信用违约掉期市场问题，并据此采取对策。政府应当直接对信用违约掉期市场进行干预。对于一部分人来说，政府采取行动取缔信用违约掉期市场中的投机行为显得有些过分，但是请想象一下，让纳税人支付 7 000 亿美元来避免这些投机者遭受损失，又何尝不是过分之举。在向纳税人提出数兆美元资金要求之前，政府需要首先确定，谁将因此受益，以及为什么受益？

对于信用违约掉期市场进行调查是绝对有理由且必要的。首先，信用违约掉期市场上的所有交易应当由交易一方来处理完成，这样净风险值就能够得以确定。毫无疑问，一旦所有人的风险互相冲抵的话，那么潜在损失将接近 65 兆美元。只要市场规范能够使整体市场风险净暴露度（net exposure）广为人知，那么自然应该将更多的损失分配给投机者而非风险规避者。从某种程度上来说，如果某个人试图降低由于持有房利美或房地美债务而承担的风险，那么他并不应该因此而受到惩罚。但是，假如一家小型对冲基金签署了数十亿美元的保单，那么就完全有理由在美国纳税人出来承担恶果之前，首先让投机者们蒙受损失。信用违约掉期市场以前一直是个没有透明度、没有防止恶意投机机制、不受监管的市场。让美国纳税人来承担投机者们的所有损失，这种做法简直是荒谬之极。

因此，一旦保尔森方案在实际执行中显示出效果有限，仅能救助那些杠杆率过高、经营不善的金融机构，保护信用违约掉期市场中的投机者，那么就应当采用推动破产进程的策略，将那些无能的金融机构暴露出来，并让它们的债务投资者们承担损失。如果这样的破产潮引发了信用违约掉期市场的投机性投资，政府就应立即介入，分清真正的风险规避交易与投机交易，并在纳税人资金受到威胁之前，支持前者，惩戒后者。

五、我们是否有其他选择

当然，没有任何对策能够立即止住所有的出血口。一场严重的经济衰退迫在眉睫，在所难免。最大的金融机构进行了创历史纪录规模的错误投资，并在自己的资产负债表上留下了数兆美元的损失。不可否认的是，购房者们热衷于超前消费，以他们的住宅为抵押，借取了大笔资金，花费在新车、游艇和豪华假期上。所有这些都将

停止，仅仅消费的减少就足以造成经济的衰退。而银行同样也会收缩信贷，使这场衰退雪上加霜。

我们将迎来长达数年的低增长时期，因为美国和世界都需要进行去杠杆化。美国人被快钱所迷惑，通过借贷来满足他们的超前消费需求。住房拥有者的债务在过去 7 年间，从 7 兆美元翻了一番，达到了现在的 14 兆美元。银行债务在同期也翻了一番，达到 16.5 兆美元。非银行金融机构债务从 7 兆美元增加到 11 兆美元，而政府债务也从 5 兆美元增加了两倍，达到 11 兆美元。所有部门都负债累累，而这些债务最终都必须偿还。偿还债务的唯一途径就是出售资产，但是当所有人都在同时试图去杠杆化时，这将会变得极其困难，资产的快销市场将不存在。从一个消费者的角度来看，他的水上摩托、度假屋、钓鱼游艇都不会卖出好价钱。而从银行的角度来看，即便是在解决了房贷问题之后，商业票据、商业债务、地方政府债券、垃圾债券和杠杆收购债务市场依旧会表现低迷。总之，买家难觅，每个人都在忙着去杠杆化。企业为了让其债务水平降到可控水平之下，将会放缓扩张计划。

但是正如汽车事故现场必须进行清理一样，如果美国希望将来能够重振经济，防止重蹈覆辙，那么金融系统就必须在监管框架之内进行清理。

在 21 世纪第一个 10 年的后半期里，美国政府被授权动用 7 000 亿美元纳税人的资金，来协助美国最大的金融机构免遭灭顶之灾。

这一授权在华盛顿收到了来自选民的数以百万计的电话和电子邮件，其中 95％～97％ 强烈反对这项计划的情况下，依然得以通过。

作为民主的本质含义，被选出的代表理应代表他们的选民行事。就像《当仁不让》（*Profiles in Courage*）（美国第 35 任总统约翰·肯尼迪于 1956 年出版的一本关于美国历史上八位著名议员生涯的图书，于 1957 年获得普利策传记文学奖。——译者注）之类的图书所描述的那样，立法者们应该更加注重历史责任感，而非选民的选票。那么此次 7 000 亿美元法案的通过，是否就是这种历史责任感的体现呢？

假如确实如此，那么国会议员们能够找到的借口就是，他们要比他们的选民更加了解拒绝这个法案将会造成的恶果。但是，就在这项法案被通过的前夜，美国总统布什现身黄金时段电视节目，他声明说，如果没有这项授权，市场将会完全陷入混乱之中，美国也将面临一场严重的经济衰退。萨拉·佩林（Sarah Palin）——共和党的副总统候选人更是进一步宣称，如果这项法案不被通过，那么20 世纪 30 年代的大萧条将会重演。然而即便是在受到这样的警告之后，美国大众依然强烈地反对这项计划。

事实上，答案也许要比选民代表那些冠冕堂皇的理由简单得多。或许，这些选民代表真正想要谋求的东西数十年来从未改变过，那就是用他们选民的钱来填满自己的腰包。如你所见，正是由于选民代表的贪婪、腐败，和美国企业勾结在一起，才将我们带入了现在这种金融绝境之中。

毫无疑问，美国的经济前景黯淡无光。本书详细解析了以美国房市泡沫及其破灭为开端的这场危机是如何扩散到其他类型的投资资产和其他国家，以及全球经济。然而，美国前财政部长亨利·保尔森、美联储主席本·伯南克、前总统乔治·W·布什，以及美国参众两院议员们却希望你相信，他们的 7 000 亿美元计划是摆脱困境的解决之道。

当面对一个非常困难的事态及其可能的解决方案时，往往会因为过于草率地支持被提议的这个解决方案而最终遇到麻烦。因此更重要的问题就是，被提议的这个解决方案是否行之有效，是否有可能导致事态进一步恶化，是否还有其他未被披露的、成功可能性更高的选择方案存在？

第十五章 没有改革就没有未来

　　需要首先明确的一点是，这场危机的爆发并非偶然。以美联储前主席艾伦·格林斯潘为代表的专业人士们，主张此次危机就如百年一遇的洪水，是随机发生的，这种观点对我们极为不利。宣称目前的状况只不过是在经济周期当中，由众多自发产生的随机事件集合在一起所造成，这也就是在主张，没有任何办法可以防止同样的危机在未来再次爆发。

　　事实上根本就不存在什么随机事件，危机爆发前早就有部分专业人士试图向美国大众发出警告。因此，我们在联系实际，进行缜密的分析之后，很容易就能找到这场灾难的实际根源。

　　纵览本书，从房产泡沫及其崩溃开始，我就已经在谈论这个问题。对于改革的建议必须立足于房产泡沫及其崩溃的根本原因，但是改革的步伐不能停止。整个美国的金融系统都亟待进行各种改革，因为正是这个金融系统纵容了高估的房产，最终演化成全球金融系统的潜在灾难。

一、金融系统亟待改革

去规制化不仅推动了房产泡沫的形成及其崩溃，也同样推动了金融系统和政府对于此次危机的应对举措。这不只是信贷过于宽松，银行向购房者发放了过多贷款的问题。过度扩张的房地产经纪人、房产评估人，以及房贷中介们共同构成了一个产业。政府管制的放宽和监督的松懈助长了风气的堕落，没有人觉得房地产经纪人与房产评估人串通一气有何不可，也没有人想过要去调查房贷中介是否篡改了购房者贷款申请表上的收入数额。

华尔街和商业银行不认为自己有义务告诉它们的投资客户，他们的房贷投资在房价下跌时可能承受的潜在风险，这实际上就是在向它们的投资者出售市场风险。也许是后知后觉，那些评级机构现在看来简直就是罪犯，穆迪、标准普尔和惠誉国际全都收受了证券发行银行数千万美元的费用，然后告诉这些证券的投资者，他们将要投资的房贷产品评级为AAA，也就是说安全可靠。房贷投资者们，包括主权政府基金和养老基金也并非无可指责，因为它们的投资决策大多完全以信用评级为依据，而没有进一步的严格调查和信用评估。这是因为作为需要制定正确投资决策的管理者，如果你所需要做的只不过是购买AAA级证券，那么你每天就能腾出大量的时间去打高尔夫球。

并非所有新的监管措施都来自华盛顿。与房地产经纪人、房产评估人、房贷中介和银行家有关的一些政策制定必须在地方层面上进行。假如地方大众不在乎身边发生的欺诈行为，他们在因此蒙受损失时也就不应当抱怨。正是由于法规和取缔欺诈行为政策的疏忽，才导致了目前这些问题。

未来如果要杜绝这类问题，就必须在华盛顿开展大规模重建监管制度的努力。金融系统内许多问题的产生，是因为人们在使用他人的资金进行赌博。在某种程度上，购房者在房市繁荣时以低廉的首付，甚至无须支付首付的情况下就可以拥有百万豪宅，实际上不管房市状况好坏，他们都只需承担很小的风险。

如果想根除整个系统内的动荡，为房产、房贷和银行业提供更高的稳定性，那么只需要简单地制定一项法规，要求未来所有的购房交易都必须支付至少20％的首付。当然，这样的措施将会造成房价的进一步下跌，而当房价跌到一定水平时，人们就会感觉到更适宜利用自有资金，而非仅靠银行资金来投资房产。然而，美国人不会愿意在他们的住宅不动产上承受更大的损失。

因此，虽然这样的提案不大可能被通过，但是它却非常重要和有效。原因很简单，如果未来个人无须首付即可购买住房，那么与此次一样的房市非理性行为就有可能再次上演。然而如果人们必须支付20％的首付，并且这笔首付也有出现损失的风险，他们必然会更加谨慎，不会在购房交易中犯下过度支出的错误。

由于美国人如今负债过高，很少有人能够支付这样一笔20％的现金首付。因此，如果这样一项法规能够通过，那么美国的全国房价将会在已经预期的20％下跌幅度的基础上，继续下跌10％～15％。这是一个正确的抉择，因为市场将会因此稳定下来，但是却不能指望它成为现实。

银行需要受到进一步的监管。不管是在世界的哪一个角落，没有任何理由允许本应对客户存款提供保护的储蓄机构将自身财务杠杆率提高到15∶1，甚至35∶1。即便经营策略再正确，这么高的财务杠杆率也一定会造成银行系统内部不稳定性激增，收益动荡，并且由于发放的贷款出现损失，迫使银行紧缩信贷业务，从而威胁到银行的偿付能力。由于银行过高的财务杠杆率，可以预期，因为银行损失对于其股本基础的威胁，这将导致未来发生更加剧烈的经济

波动和更多的经济衰退。

我们之所以需要政府，是因为只有政府能应对那些个人和私营企业无法认识到，或者不愿介入的问题。这些问题或许有益于全社会，但是却可能对个体没有任何好处。包括美国政府在内的全世界的政府都应该将银行持有资产负债表外资产的行为定义为非法，并且规定银行的联合杠杆（combined leverage）率不得超过10∶1的债务股本比。这就意味着，只有在这家银行10％的资产和控股损失之后，它的全部股本基础才有可能受到威胁。对比那些杠杆率达到35∶1的银行，在损失总资产的3％后就丧失偿付能力，这就显得更加合理。如果全世界所有银行的杠杆率都是10∶1或者更低，那么这些国家所面临的经济周期动荡将更加缓和，金融机构的破产数量也会大幅降低，各种瘟疫般在全世界蔓延的问题更会显著减少，从而在整体上创造一个更加健康的投资环境和更美好的经济前景。

当然，如果没有政府的参与，这一切就不可能实现。今天银行的杠杆率之所以如此之高，是因为银行认为这样更符合其管理层和股东的利益。高管们的收入在很大程度上要依靠股票期权（stock options），因此在银行情况不妙时他们不会遭受多少损失，而当银行业绩良好时他们却会得到巨大的好处。这种针对管理层的股票期权的奖励模式，也应该在金融改革方案中重新进行审查。股票期权的奖励模式应该被能够体现企业绩效的赠股模式所取代，并且不应该向员工免费赠股，应该让他们支付一部分金额，如此一来他们对于持股人所承担的风险就会有切身感受。理性的持股人也许会得出结论认为高杠杆率符合他们的利益，因为这能够放大他们在银行业绩良好时的收益规模，而当银行业绩滑坡时，又能保证他们只承受有限的损失。正因为这个原因，决定合理杠杆率的权利不应由持股人掌握。由政府来管制金融业的杠杆率，正是一个政府通过有限度干预来为全社会创造巨大价值的最好例证。

毫无疑问，整个金融系统需要扩大透明度和申告义务。认为对冲基金业无须公开财务信息的观点完全是无稽之谈。我能够想象到的，他们抵制财务信息公开的唯一原因就是他们有违法行径。如果对冲基金被要求定时公开财务信息，毫无疑问将会暴露出许多对冲基金存在着诸如利用不当资本获利、杠杆率过高、签署无法兑现的合约、操纵股价，或者进行内幕交易之类的阴暗面。坚决推行财务信息公开化的最重要原因，就是为了揭发所有非法行为。对冲基金总是能够跑赢市场，这一点违背了常识和所有有效市场回报理论。许多这样的对冲基金能够年年获利，这就进一步表明一定有什么不正常的地方。必须让它们公开自己所承担的风险，它们所持有的资产，以及它们如何获得资金，然后判断是否应该对它们进行投资，或者允许它们继续经营下去。

　　其他金融机构同样应该适用与商业银行相同的申告义务和杠杆率原则。投资银行、非银行金融机构，以及其他房贷供给机构也不应当被允许利用 30：1 的杠杆率，并且藏身于监管体制以外。

二、信用违约掉期市场成为资本主义的一大威胁

　　对于未来的监管机构来说，最大的问题或许是该如何治理信用违约掉期市场。这是一个 65 兆美元规模的市场，相对于 14 兆美元的美国 GDP 而言，这是一个令人震撼的数字。由信用违约掉期市场导致的问题现在必须梳理清楚，否则这些问题终将重新回来纠缠不休。

　　第一步必须在信用违约掉期市场内为所有的交易方设立一个中央结算所。这项措施，加上完全透明化，将使市场参与者能够正确判断交易对方的违约风险。然而，即便如此也不能允许企业随意签署合约。一家大型金融机构的倒闭足以威胁到整个金融系统。所以

在这里必须再次指出，政府绝对不能袖手旁观，纵容像花旗银行这样的机构随心所欲地签署交易合约。正是因为如此，才造成了花旗银行的业务规模过于庞大，以至于无法让其破产。像花旗银行这样的机构，在结构越来越复杂的信用违约掉期业务网络中，已经变身成为过于重要的节点。作为清楚了解信用违约掉期市场中所有交易的政府，必须承担起责任，记录下信用违约掉期市场中每一家企业的市场风险净暴露值，同时必须为总风险暴露值设定上限。任何一家企业的信用违约掉期投资的净风险暴露值都不应该被允许超过其权益账面价值的10%。那种10亿美元规模的对冲基金在信用违约掉期市场上为100亿美元规模违约担保的现象必须杜绝。同样，自有股本为400亿美元的高盛，也不应该被允许在信用违约掉期市场上为数千亿美元的违约风险提供担保，这种行为只会增加市场的不稳定性，并且有违职业道德，因为这些合约在危机中根本就不可能得到履行。政府必须介入其中，并且确保即便在最恶劣的情况下，所有信用违约掉期合约依然能够得到执行。

信用违约掉期市场还存在着第二个问题。由于这个市场的存在形式，信用违约掉期市场造成对于企业债券和投资的分析完全无法实行。我们可以设想一下沃伦·巴菲特打算对金融机构进行投资，他让手下的分析部门对花旗银行、高盛，以及美洲银行（Bank of America）向美国证券交易委员会提交的财务报告进行分析。尽管这些企业的资产和负债都得到了公开，但是对它们在信用违约掉期市场中承担的风险却只字未提。实际上，这些风险的构造是如此复杂，规模又是如此庞大，在一份简单的报告中根本无法解释清楚。当你购买花旗银行的股票或债券时，你认为自己同时也是在购买花旗银行破产的风险，但是由于花旗银行在信用违约掉期市场上的业务，你其实也许是在购买高盛破产的风险。拥有500亿美元股本的花旗银行，也许在信用违约掉期市场上担保了5 000亿美元的高盛债券。

也就是说，一旦高盛倒闭，花旗银行也会由于偿付在信用违约掉期市场上签署的合约而一道破产。那么沃伦·巴菲特又该何去何从？

这是一个非常重要的问题。如果个人和企业不能对风险进行有效评估，那么整个资本市场必将分崩离析。如果我无法正确评估一家企业所承担的风险，那么我也就无法为自己的投资制定合理的价格。信用违约掉期市场当初本来是为了诚实地分散风险而问世的，但是它的成功和壮大最终却导致了风险的一体化。换种说法，信用违约掉期市场将风险扩散到了所有参与机构，结果导致企业之间的风险变得毫无差别。它们全都互持风险，成为一个整体。它们之间不再是竞争关系，并且规模都庞大到无法破产的地步，因此，也就不再具有资本主义体系的特征。

因此，当监管部门开始调查信用违约掉期市场及其内在风险，它们最终或许会得出结论，由于这个市场所包含的体制性风险，政府不值得为其提供保护。监管部门也许会决定关闭整个信用违约掉期市场，而这看上去也是一个不错的主意。信用违约掉期市场使得风险评估不再具有可行性，资本的正确分配也近于失效。卡尔·马克思说过，资本家将制造出套在他们自己脖子上的绞索。在我看来，信用违约掉期市场就是这样一条绞索。在风险规避的伪装之下，信用违约掉期市场由于无法对这个市场参与者的风险进行评估，已经发展成为全球金融体系和资本主义制度的一大威胁。

三、商业银行的安全是一种假象

这场危机将资本市场和整个国家置于危险境地。通过政府担保、纳税人支持，或者国有化等方式，对于许多难题的短期解决办法已经颁布执行。作为这场危机的后果，美国政府已经将房贷发放机构以及房贷打包上市公司国有化，并且将存款保险对象的范围从商业

银行扩大到投资银行，美国政府现在已经控股世界最大的保险公司，为货币市场投资、特定地方政府债券、商业票据市场提供了担保，并且阻止了全美各地众多金融机构的破产。美国政府国有化了整个美国的金融系统和资本市场，从而终结了一场有史以来最伟大的自由市场资本主义试验。事实上，现在的状态是为立而破。

这也许会让你感到恐惧，在短期内，大家将感到情况在好转，所有投资似乎都还算安全，商业银行里的存款由于政府的担保而无须担忧，货币市场的投资也得到了政府的担保。然而，这一切都有限度。

在这场危机中，相对于投资银行，分析人士和评论员都会因为拥有稳定的银行存款而向公众推荐商业银行。但是他们却没有提到，那些存款之所以显得万无一失，是因为美国政府将储蓄担保额度从10万美元提高到了25万美元。他们甚至主张，大型商业银行由于拥有稳定的存款基础，因此应该出面收购那些遭遇风险的投资银行。这种提议在很大程度上其实是要商业银行重新染指一些风险业务，诸如包销证券、兼并企业、杠杆收购、私募基金等它们曾经在过度杠杆化期间开展过的业务，给自身招致巨大风险。然而，这些不正是导致此次金融危机的一部分根源吗？房利美和房地美难道不正是因为拥有政府的担保，知道它们的借入资本成本永远不会增加，所以才会有恃无恐，无视交易风险？在短期内，政府对于金融机构的担保将会扭曲这些机构的正常运作，鼓励非正常的冒险行为，并最终因此受到惩罚。从长期来看，即使是像美国这样强大的国家，其最终能够提供的资本和承担的金融风险也有限度，因此这种行为必将威胁到整个国家的安危。

四、华盛顿已经堕落

因此华盛顿需要进行大量工作，在华尔街和金融市场重建合理有效的规章和监管制度。然而华盛顿自身也需要进行改革。正是华盛顿放松了对房利美和房地美的监督，没能有效管制不负责任的房贷发放，允许信用违约掉期市场的规模扩大到 65 兆美元，纵容对冲基金等重要金融业务参与者完全无须承担申告义务。华盛顿那些被推选出来的民意代表并不愚蠢，难以想象他们在 2008 年 10 月之前，对于金融系统的缺陷没有受到任何警告，或者他们没有意识到正是由于他们的监管不力才导致了金融系统和整体经济诸多严重问题的发生。这些民意代表的无所作为，恰恰暴露出了所有这一切背后所隐藏着的一个根本问题。一个得到企业和银行支持，由院外游说集团和政治献金构成的体系，确保了国会议员们永远都不会真正代表他们的选民。这些民意代表们被收买去解除那些令华尔街感到不快的法律和规章。

2007 年一年，金融服务公司花费了 4.02 亿美元用于院外活动，这创下了金融服务行业此类年度支出的历史纪录。唯一的例外是在 1999 年，当时金融服务行业为了推动废除《格拉斯－斯蒂格尔法》花费了 4.17 亿美元用于院外游说活动。当然，正是由于《格拉斯－斯蒂格尔法》的废除，才使得商业银行能够在世界范围内打包销售房贷证券——这个造成当前危机的罪魁祸首，也让它们能够将出现问题的贷款从资产负债表上撤下，这就导致金融机构认为不再有必要对借贷人信用进行认真调查。

正是这些在房产泡沫及其崩溃以及金融系统出现大混乱期间监管不力的民意代表们，现在被要求不理会那些向他们提供政治献金的大企业和银行，对这些行业重新进行监管。然而，如果不首先进

行院外游说和政治献金改革，那么这种监管显然不切实际。为了清楚地认识到这一点，你只需要回顾一下美国议会最近在关于保尔森7 000亿美元救助法案论证期间的表现即可。议会简直是迫不及待地要把7 000亿美元纳税人资金投给造成这场大混乱的那些金融机构。这不仅是因为这些金融机构对国会议员们进行了贿赂，国会议员们本身也急于掩盖罪证，以防将来的调查会揭露出他们对这场危机的责任。国会如此迅速地将宝贵的税金交给那些政治献金捐款企业，这一事实使我确信，他们并没有汲取教训，他们也永远不会真正推动必要的改革措施，对金融行业实施应有的监督和管理。

五、改革必须从根除腐败开始

因此，你必须从问题的根本原因入手。首先，如果不进行院外集团改革，任何关于监管改革的话题都不切实际，然而这又不是一件容易的事情。华尔街和大企业在华盛顿拥有非常大的影响力，并且在幕后四处插手。国会的每一个众议员和参议员都接受过这些组织及其雇员的资金，因而罪责难逃。

如果不是这场房贷和银行危机规模太大的话，那么我可以向你保证，那些被院外游说集团左右的美国政权代表们是比这场金融危机更加严重的问题。院外游说集团插手了当前美国面临的所有问题的解决方案。民意代表们被企业游说集团收买，回避解决那些对于美国人民来说最为重要的问题。

例如，美国大众为高昂的药价而忧虑，但是那些制定法律，导致药价如此高昂的国会议员们都收受了制药公司数亿美元的资金。美国大众也为医疗保险费用而忧虑，但是国会议员们同样也从健康维护院外集团那里得到了巨额资助。美国大众在为油价忧虑，希望能够发展替代能源，但是国会议员却被大石油天然气公司所操控。

美国大众希望有效应对全球温暖化问题，但是煤炭院外集团和电力院外集团却成功阻止了议员们对此采取任何行动。大多数美国人希望政府能够针对移民和最低工资问题采取行动，以保证不会有任何一名美国劳动者生活在贫困之中，但是商业院外集团却收买了国会议员们不去涉及这些问题。大型国防企业院外集团申请了数兆美元的资金来开发新型武器，而与此同时，军人和他们的家庭，还有退伍兵们却只能依靠微薄的薪金和福利艰难度日。

应该受到谴责的，并非只有企业院外集团。美国退休人员协会（AARP）阻止了关于解决社会保障和医疗保障亏空问题的有益探讨；美国步枪协会（NRA）阻止了关于应对城市枪击暴力的探讨；教师工会雇用的院外游说者则阻碍了与教育改革有关的讨论。

没有任何一位美国总统能够单枪匹马地完成院外集团改革。院外集团游说并非只对民主党或者共和党产生作用，院外集团对所有政府任职人员都产生作用。议员们依靠政治献金获利，然后再投桃报李，通过立法来惠及向他们提供政治献金的企业。这就是98%的议员能够在选举中再次当选的原因，正是来自大企业的非法政治献金，使得这些当选议员们在选举过程中拥有比他们的竞争对手更多的经费。

因此，如果国会议员们全都钟情于现在这种能够确保他们继续当选的政治献金体制，那么急需的改革又如何能够得到批准？这就必须依靠大众。华盛顿已经堕落，但是仅靠被推选出来的某一个美国人，是无法凭一己之力来矫正现状的。假如美国总统想终结院外集团，那么他就需要每一个美国人的支持。美国大众必须以毫不妥协的姿态正告国会和总统，他们从企业和院外游说者那里收受的政治献金都属于贿赂，美国人民必将要他们为此承担责任。在网络上可以找到收受贿赂者的信息，美国大众则需要做出抉择，是否对此采取行动。假如美国公众仍旧投票给那些公然从大企业收受贿赂的

议员，那么他们就不配拥有优秀的政府、完善的法规，以及由此而带来的强大经济。

不足为奇的是，导致整个金融系统濒临崩溃的根源本身就是一个严重且复杂的问题。以美国或者世界金融系统的规模，要想对其造成冲击并不那么容易。此次的危机并非偶然事件，而是由美国最有力量的两大势力——企业和政府合力所致。人民的力量虽然强大，但是因为过于松散而不可能导致如此重大的问题。现在这种困境的产生完全还是老套路，当政者们一面由于被收买而坐视问题的发生，一面又在欺骗民众。除此之外再也没有其他的解释。

第十六章 警 示

　　事态之所以会如此严重，必定是由于美国社会的结构出现了某种根本性的错误。单纯地谴责华尔街和华盛顿无助于问题的解决，因为这就完全忽视了普通美国大众的责任。如果美国人对于美国经济和美国政府所面对的最重大问题一无所知，那么所有的美国人都应该为此承担责任。如果大众对于这些问题一清二楚，却不采取行动着手解决这些问题，那么这种姿态本身同样也是一个问题，因为光是站在一旁叉腰指责，对于问题的解决无济于事。当前的这些问题并不能完全归咎于华尔街和华盛顿，商业街也同样负有极大的责任。

　　许多远离华尔街和华盛顿的人依靠借贷过着入不敷出的生活。虽然签署了房贷契约，但是美国人可以在形势不妙时拒绝偿付，一走了之。并且不管是在法律上，还是在道义上都无须为此承担任何责任。作为公民，某些房地产经纪人、不动产估价人，还有抵押贷款中介违背职业道德，千方百计地将规模越来越大的房贷推销给公众。某些银行家不择手段地扩大手中股票期权的价值。当政府违背操守时，大众视而不见。当被告知议员们收受了贿赂时，他们无动

于衷。对于政府虐待囚犯的消息，他们默不作声。当得知美国的贫富差距正在急速扩大，中产阶级的机会日趋渺茫时，他们坐以待毙。当科学界发出警告称这个星球正由于他们而遭受破坏时，他们毫无反应。他们加重政府的债务，透支社会保障和医疗保障基金，却毫不在乎他们的后代将会为此付出何种代价。新闻主持人和作家汤姆·布洛考（Tom Brokaw）把老一辈美国人称为"最伟大的一代"，他们中的许多人是外国移民的后代，在年少时一穷二白，而且由于大萧条的影响，经济状况更是恶化到了极点。使他们能够被称为伟大的，正是他们彼此之间那种超越个人私利的真挚关怀。

一、贪婪自私的美国人

是什么样的奇迹将美国带出了当年的那场大萧条？是为了准备第二次世界大战而建立的军事力量。这正是对"才出油锅，又入火坑"一语最恰当的诠释，这一代的年轻人刚刚摆脱了大萧条的阴影，却发现自己马上又要到战场上去厮杀。上大学的计划由于应征入伍而被迫推迟。这不是一场地区冲突或者维持治安行动，而是整个世界都在交战。超过 5 000 万的军人和平民在战争中丧生。超过 40 万的美国军人在战争中失去生命，不过这个数字在苏联 2 000 万、中国 1 000 万、波兰 600 万、德国 500 万，以及日本 200 万的战争遇难者面前仍然显得苍白无力。

等到进入婴儿潮时代，尽管这一代人在成长过程中还没有被物质享受所腐蚀，不过他们相对来说拥有安定的家庭生活。许多婴儿潮世代的成员经历过以自我为中心的青少年时代，他们饮酒作乐，尝试毒品，并且热衷于摇滚音乐。20 世纪 60 年代是这一代人最闪亮的时刻，全美国的年轻人都在试图向他人展示善意。年轻的人们组织起来，为妇女和少数族裔人权、保护环境，以及阻止在越南战争中的屠杀而奋勇斗争。

在那个时候，很多人都相信约翰·F·肯尼迪所说的，火炬已经传给了新的一代。尽管"最伟大的一代"异常勤劳坚毅，但是这新的一代却是出生于大萧条和第二次世界大战之后，因此很自然地充满乐观主义。这个新世代的很多成员都或多或少地接受过大学教育，受到过其他文明、人权，以及人类尊严的启迪。那是一个令人心醉的乐观主义时代。

绝大多数婴儿潮世代的成员如今都是 50 多岁，正处于他们人生中收入水平的最高峰。那么他们又是如何对待他们创造出来的财富和地位呢？他们不断购买越来越大的住宅，投资第二套度假屋，拥有多辆汽车和大型 SUV，在时装、美食、假期，以及其他享乐上一掷千金。他们不愿为了减少他人的苦难而多做奉献，因此推动了有史以来规模最大的 4 兆美元减税法案，这其中绝大部分都进了那帮最有钱美国人的腰包。他们造成了政府赤字，让实现社会保障盈余的希望成为泡影，美国政府赤字已经超过了每年 5 000 亿美元，并很快就要在即将到来的经济危机中超过 1 兆美元。

这一代的美国人对于世界其他地方的人们缺乏关心。当世界上有数十亿人正在贫困中挣扎时，美国的对外援助却不足其 GDP 的 0.1％。艾滋病在整个非洲肆虐，根据报告，在某些国家，艾滋病感染率高达成年人总数的 30％，并且已经有超过 2 500 万人因此丧生。

美国政府在执行外交政策时，无视发展中国家的利益，提高对美国农民的补贴，在没有盟国支持的情况下入侵他国，并且虐待俘虏，这一代的美国人对此却坐视不管。

这一代的美国人比有史以来任何国家的人们都要消耗更多的能源，制造更多的垃圾。油价已经大幅上涨，在不远的将来，石油开采量将会达到顶峰，然后开始减少，但是这一代人却依旧开着高油耗的 SUV，在他们宽敞的住宅里毫无节制地使用空调。他们疏于推

动能源节约行动，或者积极发展风力和太阳能等替代能源。而所有这一切里最可耻的行为是，美国人对乙醇燃料生产进行补贴，把对于世界其他地方那些正在忍饥挨饿的人们来说生死攸关的粮食填入他们的汽车油箱，而这样做的目的不过是为了开车去商场购物。

许多这个世代的人们选择早日退休，以便从丰厚的养老金计划中占便宜，并且在社会保障体制彻底崩溃之前尽可能多地为自己谋取利益。他们通过不断投票增加美国年轻一代的所得税，严重削弱未来的经济发展，从而向他们自己支付后代们永远无法企及的退休福利。婴儿潮世代无须在有生之年为全球温暖化而烦恼，只有他们的后代才需要为此担心。婴儿潮世代无须在乎公共教育系统的堕落，他们的孩子要么读的是私立学校，要么已经从中学毕业。婴儿潮世代的成员不会在一夜之间变得一贫如洗，得益于遗产税的废除，他们的儿孙也不用为此担忧。对于一些婴儿潮世代的人来说，也存在由于经济违法行为而被逮捕入狱的微小可能，不过即便如此，他们也会被投入条件不错、专门关押经济犯的监狱。如果油价上涨到每加仑 6 美元，这当然不是件坏事，如此一来，路上开车的穷人将会变少，婴儿潮世代的人们就可以节省更多的通勤时间。

这就是为什么这一代人对当前的诸多问题熟视无睹的原因，因为他们清楚这些问题并不会直接影响到他们自己。这代人以自我为中心的特性让他们不愿为那些跟自身利益关系不大的问题付出精力与时间。他们对于那些会首先惠及他人的全球问题的解决方案毫无兴趣，而这些方案本来可以构筑一个更加有效的社会来保护所有人。

二、解决问题需要更多的合作

有些令人意外的是，对于他人关怀的丧失，才是阻碍美国人解决当前那些紧迫问题的关键。或许听起来会让人感到有些迷惑，但正是为了保障自身利益，我们才更需要去关心他人的福祉，也只有这样，那些直接影响到每一个人的重要社会问题才有可能得到解决。

市场和政府力量可以被当做武器，来消除那些威胁到社会繁荣与幸福的因素。但是仅凭它们还远远不够。在为了解决我们面临的诸多复杂问题而受到扭曲的市场经济中，现在需要更多的合作而非竞争。世界各地的政府机构存在着大量缺陷，导致各类问题难以得到妥善解决。除了企业和政府的介入，市民团体也必须采取更加积极的姿态，发挥道义职责，以确保这个神圣三角联盟的平衡与机能。政府腐败和企业游说势力或许是最明显的问题，但是诸如战争、贫困、地球环境的恶化、违反人权、教育困境、能源自主化、世界卫生，以及媒体的商业化等问题的解决，如果没有普通大众的直接参与，也终将一事无成。

道德规范的提升并不仅限于设法迫使政客们停止撒谎，商人们也不再欺诈，同样还意味着所有人在进行各种决策时都必须将道德因素包括在内。简而言之，所谓以德行事也就是正大光明，爱人如己。即便美国人在道德规范上并非十全十美，但是仍然希望我们能够就此话题进一步展开讨论，否则我就不得不在此停笔。

首先，也是最重要的一点，在期待这个世界的状况得到改善之前，人类自身必须首先通过恪守道德准则，保持端正品行来推动社会的进步。如果对于公众利益缺乏正义感，那么就无法有效促进企业和政府恶劣行为的消除。除非大众能够关心他人和集体，否则各种问题会依旧肆虐。并且，民意代表和企业主管们如果不能树立坚定的道德责任感，那么任何解决方案都永远不可能真正付诸实施。

有些奇妙的是，如果大众能够听从道德的召唤，开始为公共利益而行动，那么这不仅将推动整个社会的进步，同时对于那些直接威胁到大众和他们家人的问题，比如对于养老计划的担忧，对于孩子接受教育的需求，对于家人获得充分医疗保障的渴望，对于自身

价值的实现，以及对于世界正在日益沉沦的恐惧，都能得以消除。最重要的是，大众将会发现自己并非形单影只，而是这个世界大家庭中的重要一员，从而重新燃起对于自身的信心。他们的劳动、他们的理想，以及他们的生活将会重新充满意义。他们不再为房贷利率、最新时尚、流行音乐，以及刚刚发生的政治腐败丑闻而困扰，他们将会把精力投入那些已知解决途径的问题的解决行动上，而这将有益于我们所有人。

三、自由市场也可以容纳道德

找到走向经济繁荣和社会福祉之路的关键在于政府决策、经济活动与伦理道德的结合。我们都很清楚，政客与道德一向势同水火，但是也一定有办法将代表公众利益的道德伦理通过公众推选的政府代表融入政府运作之中。

经济活动与自由市场同样也与道德伦理天性不合，正如亚当·斯密在相当长的时期里备受推崇的自由贸易理论所主张的，虽然也能够有利于社会，但是人类的行为完全是基于狭隘的自我利益。我并不是说为自己谋利的行为有违道德伦理，但是，任何忽视公众利益或者损人利己的行为肯定不符合人类道德。通过有效提供传统产品和服务，自由市场经济制度的有效性早已得到证明，但是这个制度却难以清楚展现出，究竟是哪种利己行为恶化而非缓和了现有形势。这样的问题是否充斥着我们的社会？答案当然是"是"！

让每个人都感到困惑的是，所有现代经济理论都立足于一个基本前提，那就是假定人类行为完全基于理性——对于这样的所谓理性行为，一部分意思是指人类的任何行为都是基于他们的自身利益。然而，这种自我中心理论又该如何来解释人类的另外一些行为？例如，年轻士兵们出于对自己国家的热爱而在战场上视死如归；国际义工们冒着生命危险，在薪酬微薄，甚至完全义务的情况下，在世界各地救死扶伤；母亲们放弃事业，花更多时间在家中照料自己的孩子；人们通过抽烟喝酒缩短自己的寿命；穷人们在中奖机会渺茫的彩票上浪费他们宝贵的金钱；教育工作者们仅仅因为从帮助下一代学习知识的过程中获得的满足感，于是放弃了其他薪水更高的工作，选择拿起教鞭。

自由市场经济的鼓吹者们应该意识到，假如没有政府先前所做的工作，使得契约能够履行，争端得以解决，违法必受惩处，垄断受到限制，以及其他各种针对市场参与者的规范和制约，那么他们所钟情的市场根本就不可能正常运转。自由市场经济之所以难以在众多发展中国家得到推行的一个关键因素，也是自由市场经济拥护者们没有认识到的一点是，在进行商业贸易活动之前，必须首先确立有效公正的规章和法律制度。这些社会、政府以及商业规章和法律，来自于公众为解决在集体行动中产生的各种问题而合作制定的对策，也就是来自于人与人之间的互动和交易。

虽然这些商业和政府机构对于社会的合理发展，以及经济的健康成长非常重要，但它们还不是人类社会所拥有的最重要的共同财富。一个独立的司法制度，也就是所谓的法制，才是人类社会极其重要的一部分。但是，如果无法有效地反映正义和公平等社会价值，那么这个司法制度对于整个社会来说，也就一钱不值。这些重要的社会价值包括正义、公平、机会均等、自由、基本人权、生命的神圣，以及追求幸福的权利。

最初，有一部分遗传学家和社会达尔文主义者主张，这种利己而非自利基因违反了进化论理论，并且无法在人类行为中得以维系。他们鼓吹，在一个适者生存的世界里，贪婪对于生存来说至关重要。许多社会生物学家已经开始逐渐认识到，在人类以及他们的祖先当中，可以找到证据证明，互助行为具有遗传学上的诱因，这种互助

诱因存在于那些延续下来的群体，以及构成这些群体的个体基因库之中。

另外，即使互助行为没有任何遗传学上的诱因，凭借人类自身的自由意志和创造力，只要他们发现互助行为有助于有效构筑和推动社会发展，并为他们自己提供更多机会，人类同样能够后天自发地产生这种行为。基因并不能决定人类的所有行为。

电影《蜘蛛侠》里有一句很正确的台词："力量越大，责任也越大（with great power comes great responsibility）。"这个定义对于人类道德行为的挑战在于，它将更多的责任赋予了社会精英，而非普通大众。一名取得了辉煌业绩的成功人士如果放弃事业，去做社会援助工作，机会成本是巨大的。但是，在组织解决众多极其严重的社会问题的过程中，这个人的价值或许更是难以估量。你要怎样才能发挥更大的影响力，是坐在某家《财富》500强企业行政楼的斗室之中，还是发起一场清理华盛顿、终结院外集团的运动？

四、资本主义的问题是过于成功

为了找到当前世界面临的那些最紧迫问题的解决之道，公众必须对现状宣战。通过全球化进程，一个由美国领导的复杂体系已经确立，这个体系在全世界范围内推行彻底的自由市场资本主义，并将其作为解决所有问题的答案。你并不需要成为一个极端的阴谋论者，就已经能够认识到，跨国企业才是今日世界中力量最大的组织，而它们的唯一目标就是不遗余力地在全球范围内谋取利润。这些大企业在全球范围内扩大势力的主要好处之一，就是能够以此来逃避任何单一国家的监管和征税。

因此，我们今天的世界是被一个依靠市场来解决所有问题的体制所支配，这个体制以大企业为手段，有效地控制了众多国家的政府，并且鼓吹市场开发和全球化是解决世界问题的灵丹妙药。

自由市场资本主义经常由于这个世界的各种罪恶而受到指责。然而事实却是，资本主义创造了比以往任何时代都要多的财富，资本主义国家取得了最高的人均收入水平。造成这种现象的原因有很多，但是最重要的一点是自由贸易和对私有财产的保护使公众也能够参与经济决策。有效机能与自由市场的合理监管之间的关系，有如民主与善政之间的关系一般。

对于资本主义的最主要批评，也就是指责它在财富和收入分配上不公正、不平等的说法并不符合实际。事实上，相对于那些资本家人数较少的落后国家，越是发达的国家，资本家就越多，收入的分配也越平等。因此在很长一段时期里，随着工业化和国家的发展，穷人相对来说一定会比富人获得更大的利益。

资本主义的最大问题不是它的失败，恰恰相反，是因为过于成功。发达资本主义国家垄断了如此巨大的财力，它们可以对其他落后国家的事务随意指手画脚，跨国企业也到处左右政府决策。对于自由市场的适度监管，其实能够更有效地创造和分配绝大多数产品和服务。但是，就如前面已经指出的，在一个自由市场中，为了找到诸多整体性问题的解决之道，更需要的是合作而非竞争。

因此，资本主义的权力必须限制在市场运作之上，而不能用来操控监管、政府、政客以及社会规范。在我的著作《美国之错》（*Where America Went Wrong*）中，我主张为了确保实现这个目标，首先就需要禁止企业介入政治和政府运作——企业不得组织选民，杜绝企业政治献金，企业院外集团必须解散，政宣广告也不准利用企业资金，并且如果私营企业拥有新闻媒体，那么就必须确保在同一个市场内作为其竞争对手的公共媒体的存在。

资本主义还存在着一个更加隐秘、更鲜为人知，也更少被触及的问题。由于资本主义发达国家重视竞争而非互助、重视私利而非

公益、重视消费而非利他主义，从而造成这些国家公众的心态与那些资本主义不发达的发展中国家的公众截然不同。相对于发达国家，环游世界的旅行者们总是会为落后国家温暖的人情味而动容。我们很容易假设，正是由于缺乏彪悍的精神，这些国家才难以加速发展的步伐，可是，反过来似乎也能说得通。直到接受资本主义，开始工业化进程为止，全世界的人们其实都能够做到互助互爱，同甘共苦，与人为善。或许心态真正怪异、扭曲的是发达国家公众，而非发展中国家公众。也许发达国家至今依然存在着某些不为人知的问题。

在旅行中，你会首先注意到，美国人、英国人以及来自其他发达国家的人们更容易被地位和身份所困扰。他们总爱谈论自己的财产和事业，以此来显示自己的优越地位。像这样的地位追求者天生具有不安全感，他们的傲慢更多是为了自我保护。这类人总是依靠自己的收入、职位和财产来自我定位。这就难怪他们天生具有不安全感，假如一个人的身份都要依赖于这些暂时性和物质性的标准来定义，那么很自然的，他们会对真实的自己感到忐忑不安。

其次，透过那些生活在发展中国家民众的眼睛，发达国家的民众显得极端自我中心和贪婪。许多发达国家民众的奢华浪费总是让这些发展中国家的民众感到困惑。为了解决今天美国面临的众多问题，我们就必须在全社会范围内重新宣扬团结互助、怜悯和关爱他人的美德。我们首先需要透彻了解美国人是如何变成最贪婪的群体，然后再努力寻找摆脱这种自私行为的可行之道。除非人们能够重新关爱他们的邻人，否则社会正义感就无法真正确立，而这一点也正是促使人们团结一致、采取行动、共同消除那些威胁到我们这个社会的问题的关键。

五、从伟大向贪婪的转变

那么到底又是什么导致了仅仅在一代人的时间里就出现了这种从伟大向贪婪的转变？这是由一系列综合因素所致，它们共同造成了个人不安全感的上升。首先，美国在这 50 年中发展成为一个非常发达的工业化国家。开疆辟土的时代早已过去，自给自足的生活形态也几近消失。大多数美国人都成了大企业的雇员，而不再是独立农户或店主。劳动分工作为在资本主义和工业化体制内创造大量财富的关键，同时也意味着劳动者不得不无数次地重复同一项简单工作，而这些工作不需要多少知识含量，因此劳动者也很难为自己的工作成果感到自豪。虽然并不一定会冒犯个人尊严，但是绝大多数企业自上而下的等级制度和管理架构只会使员工感到消极被动。

信息技术的迅猛发展意味着那些骇人听闻的故事能够在瞬间传遍全世界。正如巴里·格拉斯纳（Barry Glasser，美国南加州大学社会学教授。——译者注）在其著作《恐惧文化》(*The Culture of Fear*)中所阐述的，诸如疾病、枪击、自杀、绑架和战争等令人不寒而栗的故事，不仅将大众吸引到充斥着电视广告的屏幕之前，同样也在人们的心中埋下恐惧，加剧了他们对于自己同胞以及其他地区人们的不安全感和猜疑。

尽管科技的快速发展为我们带来了电脑时代、太空旅行、治愈疾病等众多令人惊异的奇迹，但是这一切并非毫无代价。理论上，科技进步的步伐越快，知识和技术陈旧化的过程也就越迅速。你可以想象，对于一个在印刷厂工作的人来说，印刷过程由人工操作向电脑化的转变会如何加剧他的不安。同样你也可以想象，对于那些英语教师来说，当他们得知从今年开始，印度的中学将使用计算机来给标准考试的作文部分打分时，他们心中会感到多么的忐忑不安。

最后，产品和服务流通的全球化意味着一个竞争市场已经覆盖了全球。仅仅力争成为你所在城市、州，甚至国家的质优价廉产品的生产者并没有太大意义，因为你现在必须与全世界的竞争者展开竞争。如果你是沃尔玛或者通用汽车的美国供应商，当你了解到一些中国企业能够利用日工资1美元的劳动力资源，在不需要支付员工福利和医疗保险费用的情况下向沃尔玛和通用汽车以半价提供与你同样的产品，这个时候你还可以高枕无忧吗？世界市场中只容许存在一个胜利者，对于这个世界来说，每种产品也只能有一个廉价生产者，其他任何价格优势稍逊的生产者都只能面对丧失市场份额的风险与恐惧。

劳动分工、企业的等级制度、信息传播的快捷、科技陈旧化的加速，以及全球化进程等，所有这些因素都进一步加深了个人的不安全感。在一个快速变化的世界中，不安全感的加剧才是导致这一代人变得更加贪婪自私的罪魁祸首。除非人们对于自身幸福和价值感到满意，否则很难去关心他人。个人安全感的提高取决于能否有自信拥有一个丰富多彩的美好人生，而不在于物质财富的多少。

那些无法确定自身价值的人会转而寻求其他方式来定义自己。人们经常通过职位的高低、毕业的学校、居住的地段、驾驶的汽车等来对自己进行定位。

令人感到讽刺的是，经济的繁荣与其说是满足了个人需求和欲望，倒不如说是进一步刺激了私心的泛滥，并最终成为阻碍共同努力、服务社会公益的敌人。专家们展开研究，希望知道到底是绝对财富还是相对财富给人类带来更大的愉悦。如果答案是相对财富，这就从另一个角度解释了婴儿潮世代为何变得如此自私自利。毫无疑问，这一代美国人要比任何时代的人们都过着更加富裕的生活，美国拥有这个星球上其他国家无可匹敌的财富。但是如果我们以相对财富来作为标准的话，那就只可能有一个人拥有最好的汽车、最大的住宅、收入最高的工作，而其他所有人只能生活在相对绝望中忍受煎熬。

在《进步的悖论》（*The Progress Paradox*）一书中，格雷戈·伊斯特布鲁克（Gregg Easterbrook，美国著名作家，《新共和》杂志的资深编辑。——译者注）以令人震撼的统计数据显示，美国婴儿潮世代拥有令世人瞠目的财富、健康和繁荣水准。美国人的预期平均寿命从 1900 年的 41 岁延长到现在的 71 岁，小儿麻痹、天花、麻疹和软骨病被彻底消灭。尽管有上顿没下顿的现象在贫穷阶层中仍然存在，但是大规模的饥饿得到了根除。闲暇时间变得更长，受教育的机会也得到了爆发性的增长。今天，很大一部分美国人拥有自己的住房，这些住房绝大多数都安装有中央空调和取暖设备，并且许多还附设有游泳池。

但是令人惊讶的是，伊斯特布鲁克却指出，这一代的美国人要比以前任何时代的美国人都更不快乐。关于幸福度的问卷调查显示出，今天的人们要比 40 年前更加郁闷。忧郁症患者数量比 40 年前增加了 10 倍，由于诊断技术的进步，这个数字也许存在一定的向上偏差。

伊斯特布鲁克成功地证明了，物质财富和收入的增加并不能自动转化为更多的快乐。他甚至提出了 1 万美元人均收入拐点论，在世界上的任何国家，在这个拐点之下，财富的增加能够提升快乐的程度，但是一旦到了这个拐点之上，财富的增加只会对快乐起到抑制作用。当收入不足 1 万美元时，收入的任何增加都将用于食物、衣服、住房、教育、医疗等必需品的消费，因此也就真正有利于改善生活，保障基本人权。而当收入高于 1 万美元时，事情就开始变得奇怪，人们挣得越多，可自由支配收入也就越多，闲暇时间变得更长，住房更大，汽车和游艇更多，奢华假期更多、更长，但是，他们能够感受到的快乐却反而越来越少。

伊斯特布鲁克与乔治·威尔（George Will，美国保守派作家，普利策奖获得者。——译者注）、米尔顿·弗里德曼，还有其他保守派学者在试图解释物质繁荣的提升无法与快乐程度成正比这一现象所呈现出的分裂时，都犯了一个根本性的错误。在他们的心目中，更多的收入和物质财富应该会让人们更加快乐，因为这本来是理性经济学的基础。也就是说，市场参与者们不仅自私，而且他们永远都希望能够获得更多。两套住房胜于一套，三台摩托雪橇胜于两台，四轮驱动汽车当然也胜于两轮驱动汽车。以多为好的观念对于这些学者的经济学和人类行为学理论产生了深远的影响，最终导致他们在解释上述这种分裂时得出了错误的结论。

这些学者的理论是："如果大众在获得更多物质财富的同时，却变得更加郁闷，那么，这一定是因为他们没有意识到自己由于财富增加而获得的好处。"然而正是这些学者，一方面固执地认为在市场经济中，大众拥有足够的理智和知识来针对定价、购买和投资等复杂行为做出决策，另一方面却又主张同样的这群人在一瞬间会变得愚不可及，连自己过得到底有多好都无法做出正确判断。不管是在什么时候，当你听到有人主张大众可能热衷于某项他们根本不了解的理论和提案时，你就必须保持警惕！因为这也许就是某些无视公众利益的自私之徒准备愚弄大众的前奏。公众完全有能力正确判断什么将会对自己有利，什么能够促进他们的幸福，而这也正是奠定民主政权基础的必要前提。

与世界其他发达国家的人们一样，美国大众的优越之处在于他们的收入足以满足自身生存和人权需要，因此他们也就能够处于一个极佳的位置，可以采取更加友善的姿态来协助解决这个世界面对的各类严重问题。如果不这样做，美国人就会失去从外界获得的幸福与快乐。事实上，通过帮助他人，你能感受到更大的快乐，反过来又会发现自己的生活变得更加充实，也更有意义。当然，也就会因此而感到更大的快乐。

当然，并不是所有美国婴儿潮世代的成员都跻身于这个世界上最贪婪者的群体，还是能够找到一些拒绝与这个时代狷獗的消费主义同流合污的人。毫无疑问，某些属于婴儿潮世代的美国人在努力推动环境保护运动，为妇女权益大声疾呼，为少数族裔的人权进行斗争，为保护消费者利益而奔波，为维护世界和平而努力，抗议全球化进程对劳动者权益的践踏，并且试图保护世界各地原住民的人权。但是，这样的人显然属于少数。正是同样的一些人，在20世纪60年代试图结束越南战争，在20世纪70年代为推动环境治理而斗争，在20世纪80年代为妇女权益而游行示威，在20世纪90年代挺身而出保护动物权益，如今又在组织非政府机构（nongovernmental organizations，NGO）以应对全球化造成的伤害。

这一代的美国人拥有一切，繁荣、教育、安全、家庭、友人以及获取全球信息和市场的途径，但是他们却疏于付出。我们的星球所面临的最严重问题还没有得到任何应有的回应，这不是因为它们不为人知，而是因为这一代的人们都正忙于给他们的孩子购买名牌服装，为第二套住房布置家具，检查屋后的游泳池是否被打扫干净，因而再也没有时间去顾及其他。

因此，不管是在华盛顿和华尔街，还是在非洲和美国的穷乡僻壤，各种问题都是从身处商业街的我们而来。对于民意代表们的企业游说和竞选贿赂所造成的腐败，就像脓肿一样腐蚀了监管制度，而这最终又引发了像病毒一样爆发的房产泡沫及其破灭。但这还不是我们的社会需要处置的唯一病症。企业游说集团已经成功阻止了医疗保障改革、能源改革、美国在全球温暖化问题上的主导地位、最低工资法案、社会保障改革，以及世界各地冲突的和平解决。

当美国公众清理完华盛顿，将院外集团赶尽杀绝，完善了对华尔街的有效监管之后，希望还能剩下一些时间来让他们进行自我反

省。美国人是否已经被名利蒙蔽了双眼？他们是否通过大规模消费和借债而获得了更多的快乐？生命的意义是否不仅仅在于一己私利的满足？如果这场危机是一个警示，那么它已经吹响了唤醒公众的号角，让人们重新思考自己真正需要的是一个怎样的人生，什么才是人生中最珍贵的东西，而他们又希望自己在这个星球上度过的短暂一生中，最终能够实现怎样的目标。

参 考 文 献

Ackman, Dan. Fresh Pricks in the Housing Bubble. *Forbes* (March 2, 2005).

Agence France-Presse. Ireland faces recession after Celtic Tiger era. (June 30, 2008).

Agence France-Presse. Spain facing worse economic slowdown than expected. (August 8, 2008).

Agence France-Presse. Japan economy contracts by most in seven years. (September 12, 2008).

Altman, Roger C. How the Fed Can Fix the World. *The New York Times* (September 2, 2008). Available at www. nytimes. com/2008/09/03/opinion/03altman. html.

Andrews, Edmund L. Report Finds Tax Cuts Heavily Favor The Wealthy. *New York Times* (August 13, 2004). Available at http://query. nytimes. com/gst/fullpage. html?res=9A03E2D6173FF930A2575BC0A9629

Andrews, Edmund L. Vast Bailout by U. S. Proposed in Bid to Stem Financial Crisis. *The New York Times* (September 18, 2008).

Andrews, Edmund L. Bush Officials Urge Swift Action on Rescue Powers. *The New York Times* (September 19, 2008).

Andrews, Edmund L. House Republicans Support a Plan That Would Insure Troubled Mortgages. *The New York Times* (September 26, 2008).

Appelbaum, Binyamin, Carol D. Leonnig, and David S. Hilzenrath. How Washington Failed to Rein In Fannie, Freddie. *The Washington Post* (September 14, 2008). Available at www. washingtonpost. com/wp-dyn/content/article/2008/09/13/AR2008091302638. html?hpid=topnews

Asian Week. No Bailing Out the Bad Guys. (September 25, 2008).

Bagley, Nicholas. Crashing the Subprime Party: How the feds stopped the states from averting the lending mess. *Slate* (February 14, 2008).

Bajaj, Vikas and Jonathan D. Glater. S. E. C. Issues Temporary Ban on Short-Selling. *The New York Times* (September 19, 2008).

Bajaj, Vikas. Plan's Mystery: What's All This Stuff Worth? *The New York Times* (September 24, 2008).

Baker, Dean. There has never been a run up in home prices like this. The bubble question: How will rising interest rates affect housing prices? CNN. (July 27, 2004).

Barone, Michael. The Wealth of the Nation. *US News & World Report* (March 1, 2006). Available at www. usnews. com/blogs/barone/2006/3/1/the-wealth-of-the-nation. html

Barron's. The No-Money-Down Disaster. (August 21, 2006).

BBC News. New Zealand 'enters recession'. (August 5, 2008).

BBC News. Irish economy goes into recession. (September 25, 2008).

Becker, Gary S. , and Kevin M. Murphy. The Equilibrium Distribution of Income and the Market for Status. *The Journal of Political Economy* 113, 2, pp. 282—310. (April 2005).

Bergsman, Steve. The Hispanic Housing Boom. *Mortgage Banking* 65, 4, pp. 48—54. (January 2005).

Bernanke, Ben S. *Financial Markets, the Economic Outlook, and Monetary Policy*. Washington, DC: U. S. Government. (January 10, 2008).

Bernanke, Ben S. Mortgage Delinquencies and Foreclosures Columbia Business School's 32nd Annual Dinner, New York, New York. (May 5, 2008).

Bernanke, Ben S. The Subprime Mortgage Market. Speech in Chicago, Illinois. (May 17, 2008).

Bernanke, Ben S. Text of the testimony prepared for delivery before the Senate Committee on Banking, Housing, and Urban Affairs. *The New York Times* (September 23, 2008).

Bernard, Tara Siegel. Money Market Funds Enter a World of Risk. *The New York Times* (September 17, 2008).

Bitner, Richard. *Greed, Fraud & Ignorance: A Subprime Insider's Look at the Mortgage Collapse*. New York: LTV Media. (2008).

Bitner, Richard. *Confessions of a Subprime Lender: An Insider's Tale of Greed, Fraud, and Ignorance*. New York: Wiley. (June 30, 2008).

Blanton, Kimberly. Adjustable-rate loans come home to roost: Some squeezed as interest rises, home values sag. *The Boston Globe* (January 11, 2006).

Bloomberg. Bernanke Says 'Substantial' Housing Downturn Is Slowing Growth. (October 4, 2006).

Bloomberg. New Zealand Building Approvals Fall to 22-Year Low. (July 29, 2008).

Bloomberg. Canada GDP Unexpectedly Shrank in May on Gas, Cars. (July 31, 2008).

Bloomberg. U. S. may be in 'Very Long' Recession, Harvard's Feldstein says. (July 31, 2008).

Bloomberg. Italy's Economy Unexpectedly Shrinks; Nears Recession. (August 8, 2008).

Bloomberg. Japan, Australia Inject $33 Billion to Soothe Markets. (September 17, 2008).

Board of Governors of the Federal Reserve System. Joint Press Release: Agencies Issue Credit Risk Management Guidance for Home Equity Lending. (May 16, 2005).

Bonner, Raymond. Hole in the Housing Bubble. *The New York Times*. (July 5, 2005).

Brownell, Charles. *Subprime Meltdown: From U. S. Liquidity Crisis to Global Recession*. New York: CreateSpace. (July 16, 2008).

Bruner, Jon. Bear Stearns: What the Candidates Say. *Chicago Tribune* (March 2008). http://blogs. forbes. com/trailwatch/2008/03/bear-stearns-wh. html

Budget of the United States Government. Fiscal year 2008, Table S-7. Budget Summary by Category, Office of Management and Budget, www. whitehouse. gov/omb/budget/fy2008/summarytables. html

Buffett, Warren. *Berkshire Hathaway Inc. Annual Report* 2002. Berkshire Hathaway. (February 21, 2003).

Bureau of Labor Statistics. Consumer Price Index. U. S. Department of Labor. (March 14, 2008). ftp://ftp. bls. gov/pub/special. requests/cpi/cpiai. txt

BusinessWeek. The Mortgage Mess Spreads. (March 7, 2007).

BusinessWeek. The Fed Bails Out AIG. (September 16, 2008).

Calbreath, Dean. Americans addiction to borrowing root of crisis. *The San*

Diego Tribune (September 21, 2008). Available at http://www. signonsandi-ego. com/news/business/20080921-9999-1n21debt. html

Case, Karl E. , and Robert J. Shiller. The Efficiency of the Market for Single Family Homes. *American Economic Review*. 79 (March) 125—137. (1989).

Case, Karl E. , and Robert J. Shiller. A Decade of Boom and Bust in Single Family Home Prices: Boston and Los Angeles, 1983—1993. *Revue D'Economie Financiere* (December 1993), pp. 389—407. Reprinted in *New England Economic Review* (March/April 1994) 40—51. (1993).

Case, Karl E. , and Robert J. Shiller. Mortgage Default Risk and Real Estate Prices: The Use of Index-Based Futures and Options in Real Estate. *Journal of Housing Research* (1996), 7(2): 243—258. (1996).

Case, Karl E. , and Robert J. Shiller. Is There a Real Estate Bubble? *Brookings Papers on Economic* Activity, 2004— I . (2004).

Case, Karl E. ,John M. Quigley and Robert J. Shiller. Comparing Wealth Effects: The Stock Market Versus the Housing Market. *Cowles Foundation Discussion Paper* No. 1335. (2001).

Case, Karl E. , John M. Quigley and Robert J. Shiller. Home-Buyers, Housing, and the Macroeconomy in Anthony Richards and Tim Robinson, eds. , *Asset Prices and Monetary Policy* Reserve Bank of Australia, 2004, 149—188. (2004).

CBS News. FBI Cracks Down On Mortgage Fraud. (June 19, 2008).

Census Bureau Reports on Residential Vacancies and Homeownership. U. S. Census Bureau. (October 26, 2007).

Center for Responsive Politics. Charles E. Schumer (D-NY) Detailed Contributor Breakdown, 2000 Election Cycle. (2000). Available at www. opensecrets. org/politicians/detail. asp?CID＝N00001093&cycle＝2000

Christie, Les. No help for 70% of subprime borrowers, *CNNMoney. com* Cable News Network. (April 4, 2008).

Clark, Kim. Through the Roof. *U. S. News and World Report* 138, 21, p. 46. (June 6, 2005).

CNN. Worries grow of deeper U. S. recession. (March 21, 2008).

CNNMoney. com PIMCO's Gross. (June 27, 2007).

Cooper, James C. Pop Goes the Housing Bubble. *Business Week* 3908, 36. (November 15, 2004).

Counterparty Risk Management Policy Group. CRMPG III Releases Report. （August 6, 2008）. Available at www. crmpolicygroup. org/press-release. html

Cowley, Geoffrey. Why We Strive For Status. *Newsweek* Vol. 141, Issue 24, p. 66. (June 16, 2003).

Coy, Peter. Locating Affordable Luxury Homes. *Business Week Online* (May 23, 2005). www. businessweek. com

Coy, Peter. Is a Housing Bubble About to Burst? *Business Week Online* (July 19, 2004). www. businessweek. com

Crichton, Michael. *State of Fear* NewYork: Avon Books. (2005).

Cutler, David M. *Your Money or Your Life: Strong Medicine for America's Health Care System* London: Oxford University Press. (2004).

Darlin, Damon. Do Try This At Home: Assess Your Area's Real Estate Bubble. *The New York Times* (August 13, 2005).

Das, Satayjit. CDS market may create added risks. *Financial Times* (February 5, 2008).

Demyanyk, Yuliya (FRB St. Louis), and Otto Van Hemert (NYU Stern). Understanding the Subprime Mortgage Crisis. Working paper published at Social Science Research Network. (August 19, 2008).

DiLorenzo, Thomas J. The Government-Created Subprime Mortgage Meltdown. (September 6, 2007). LewRockwell. com

Draffan, George. Facts on the Concentration of Wealth. (April 2008). Available at www. endgame. org/primer-wealth. html

Draft Proposal for Bailout Plan. *The New York Times* (September 21, 2008).

Duhigg, Charles. Loan-Agency Woes Swell From a Trickle to a Torrent. *The New York Times* (July 11,2008).

Easterbrook, Gregg. *The Progress Paradox: How Life Gets Better While People Feel Worse*. NewYork: Random House. (2004).

Economic Times (India). Are emerging economies causing inflation? (July 7, 2008).

Economist. Going Through the Roof. (March 28, 2002).

Economist. A Boom Out of Step. (May 31, 2003).

Economist. Faltering Meritocracy in America. (December 29, 2004).

Economist. After the Fall. (June 16, 2005).

Economist. In Come the Waves. (June 16, 2005).

Economist. Full speed ahead. (January 24, 2008).

Economist. Britain's Economy: How Bad is It? (September 4, 2008). Available at www. economist. com/opinion/displayStory. cfm? source = hptextfeature&story _id= 12070800

Economist. Investment banking: Is there a future? (September 18, 2008). Available at www. economist. com/finance/displayStory. cfm? source = hptextfeature&story _id= 12274054

Economist. Financial crisis: Carping about the TARP: Congress wrangles over how best to avoid financial Armageddon. (September 23, 2008).

Economist. The doctors' bill. (September 25, 2008).

Elliott, Larry. Credit crisis—how it all began suddenly, one August day last year shook the world, turning an Edwardian summer of prosperity into a grim financial crisis. *The Guardian* (August 5, 2008).

England, Robert. Assault on the Mortgage Lenders. *National Review* (December 27, 1993).

Evans, David. Hedge Funds in Swaps Face Peril With Rising Junk Bond Defaults. *Bloomberg* (May 20, 2008).

Expat Focus. India—Currency and Cost of Living. (March 2008). Available at www. expatfocus. com/expatriate-indiacurrency-costs

Fahey, J. Noel. The Pluses and Minuses of Adjustable-Rate Mortgages. *Fannie Mae Papers* Vol. III, Issue 4. Fannie Mae. (December 2004).

Fernandez, Manny. Study Finds Disparities in Mortgages by Race. *The New York Times* (October 15, 2007).

Financial Times. Early Easter puts Danish economy in recession. (July 17, 2008).

Financial Times. Estonia becomes first victim of Baltic recession. (August 14, 2008).

Financial Times. Recession to hit Germany, UK and Spain. (September 10, 2008).

Finfacts Ireland. Eurozone GDP fell 0.2% in the second quarter of 2008: EU27 GDP fell 0.1%; Economies of Eurozone's Big 4—Germany, France, Italy and Spain all shrank. (August 14, 2008).

Fischel, William. An Economic History of Zoning and a Cure for Its Exclusionary Effects. *Urban Studies* (2004) 41 (2): 317—340.

Fortune. Welcome to the dead zone: The great housing bubble has finally started to deflate, and the fall will be harder in some markets than others. (May 4, 2006).

Fox, Justin. Betting Against the House. *Fortune* 151, 12, p. 25. (June 13, 2005).

Fox, Justin. Why the Government Wouldn't Let AIG Fail, *TIME*, Time Inc. (September 16, 2008).

Frank, Robert. *Luxury Fever: Why Money Fails to Satisfy in an Era of Excess* New York: Free Press. (1999).

Frank, Robert. Making Waves: New Luxury Goods Set Super-Wealthy Apart From Pack. *The Wall Street Journal* (Eastern Edition) A. 1. (December 14, 2004).

Gladwell, Malcolm. *The Tipping Point: How Little Things Can Make a Big Difference.* NewYork: Back Bay Books. (2002).

Glaeser, Edward, and Albert Saiz. The Rise of the Skilled City. *Brookings-Wharton Papers on Urban Affairs* 5 (2004) 47—94. (2004).

Glaeser, Edward and Joseph Gyourko. The Impact of Zoning on Housing Affordability. *Economic Policy Review* 9(2): 21—39. (2003).

Glaeser, Edward, and J. Shapiro. The Benefits of the Home Mortgage Interest Deduction. *Tax Policy and the Economy* 17 (2003) 37—82. (2003).

Glaeser, Edward, and Jed Kolko and Albert Saiz. Consumer City *Harvard Institute of Economic Research.* Working paper. (2000).

Glaeser, Edward, Joseph Gyourko and Raven E. Saks. Why Have Housing Prices Gone Up? *American Economic Review*, forthcoming. (2005).

Glaeser, Edward, Joseph Gyourko and Raven E. Saks. Why is Manhattan So Expensive? Regulation and the Rise in House Prices. *Journal of Law and Economics* (2005).

Glasser, Barry. *The Culture of Fear: Why Americans are Afraid of the Wrong Things.* NewYork: Basic Books. (2000).

Goodman, Peter S. Credit Enters a Lockdown. *The New York Times* (September 25, 2008).

Gordon, Robert. Did Liberals Cause the Sub-Prime Crisis? *The American*

Prospect. (April 7, 2008).

Gray, Michael. Almost Armageddon: Markets Were 500 Trades from a Meltdown. *New York Post*. (September 21, 2008).

Greenspan, Alan. We will never have a perfect model of risk. *Financial Times* (September 22, 2008).

Griswold, David, Stephen Slivinski and Christopher Preble. Six Reasons to Kill Farm Subsidies and Trade Barriers, The Cato Institute. (February 1, 2006). www. freetrade. org/node/493

Gullapalli, Diya. Muni Money-FundYields Surge. *The Wall Street Journal* (September 27, 2008). Available at http://online. wsj. com/article/SB 122247111922280837. html?mod=testMod

Gyourko, J. , and Albert Sinai. Superstar Cities. Zell/Lurie Real Estate Center at Wharton. Working paper, University of Pennsylvania. (July 2004).

Gyourko, J. , and Albert Saiz. Construction Cost and the Supply of Housing Structure. Working paper. (May 25, 2005).

Hagerty, James R. , and Ruth Simon. Fannie Sees Higher Odds of Regional Housing Bust. *The Wall Street Journal* (Eastern Edition) A. 8. (June 20, 2005).

Hagerty, James R. S&P, Citing Option ARM's, Sees Growing Risks for Home Loans. *The Wall Street Journal* (Eastern Edition) A. 8. (June 22, 2005).

Hagerty, James R. , Dawn Kopecki and John D. McKinnon. White House Seeks Tougher Bill in Push to Rein in Fannie, Freddie. *The Wall Street Journal* (Eastern Edition) A. 1. (June 15, 2005).

Herszenhorn, David M. , and Carl Hulse. Breakthrough Reached in Negotiations on Bailout. *The New York Times* (September 27, 2008).

Herszenhorn, David M. Congressional Leaders Were Stunned by Warnings. *The NewYork Times* (September 19, 2008).

Herszenhorn, David M. $700 Billion Is Sought for Wall Street inVast Bailout. *The New York Times* (September 20, 2008).

Hevesi, Dennis. Which Mortgage? A Complicated Tale. *The New York Times* (July 17, 2005).

Holden, Karen C. , and Timothy M. Smeeding. The Poor, the Rich, and the Insecure Elderly Caught in Between. *Milbank Quarterly*, vol. 68, no. 2, 1990, 191—219. (1990). www. ncbi. nlm. nih. gov/pubmed/2122199

Hopkins,Jamie Smith. Out without warning. *The Baltimore Sun* (May 15, 2008).

HousingWire. com. Will the Bailout Plan Work? Economists Weigh In. (September 26, 2008). Available at www. housingwire. com/

Hulse, Carl. Conservatives Viewed Bailout Plan as Last Straw. *The New York Times* (September 26, 2008).

Husock, Howard. The Trillion-Dollar Bank Shakedown That Bodes Ill for Cities. *City Journal* (January 1, 2000).

Ibrahim, S. A. Alarm Over Interest-Only ARM's: Much Ado About Nothing. *Mortgage Banking* 65, 8, p. 20. (May 2005).

Infoplease. World Energy Consumption and Carbon Dioxide Emissions, 1990—2025. (March 2008). Available at www. infoplease. com/ipa/A0776146. html

International Herald Tribune. Global inflation climbs to historic levels. (February 12, 2008).

International Herald Tribune. UK economic data points to recession. (August 1, 2008).

International Herald Tribune. Asian central banks spend billions to prevent crash. (September 9, 2008).

International Herald Tribune. Ban on short-selling won't fix markets on its own. (September 9, 2008).

Investor's Business Daily. Congress Tries To Fix What It Broke. (September 17, 2008).

Ip, Greg. Greenspan Again Plays Down Fear of Housing Bubble. *The Wall Street Journal* (Eastern Edition) A. 2. (October 20, 2004).

Ip, Greg. Side Effects: In Treating U. S. After Bubble, Fed Helped Create New Threats. *The Wall Street Journal* (Eastern Edition) A. 1. (June 9, 2005).

Ip, Greg. What Happens if Real Estate Goes Bust? *The Wall Street Journal* (Eastern Edition) 1. (June 12, 2005).

Ip, Greg. Crash Test: Does a Housing Bust Hurt More Than a Stock Collapse? *The Wall Street Journal* (Eastern Edition) D. 2. (June 14, 2005).

Ip, Greg. Booming Local Housing Markets Weigh Heavily on Overall Sector *The Wall Street Journal* (Eastern Edition) A. 1. (June 20, 2005).

Irish Times. House sales in North decline by about half. (August 6, 2008).

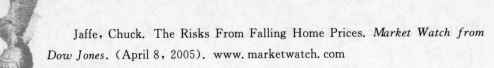

Jaffe, Chuck. The Risks From Falling Home Prices. *Market Watch from Dow Jones*. (April 8, 2005). www.marketwatch.com

Kaiser, Emily. Lehman fallout threatens deeper, wider recession, *Reuters* (September 16, 2008).

Kelleher, James B. Buffett's 'time bomb' goes off on Wall Street. *Reuters* (September 18, 2008).

Kotlikoff, Laurence J., and Scott Burns. *The Coming Generational Storm: What You Need to Know About America's Economic Future*. Boston: MIT Press. (2005).

Krugman, Paul. Safe as Houses. *The NewYork Times* (August 12, 2005).

Lahart, Justin. Egg Cracks Differ In Housing, Finance Shells, *WSJ.com*, *Wall Street Journal*. 2008-07-13. (December 24, 2007).

Lahart, Justin. Ahead of the Tape. *The Wall Street Journal* (Eastern Edition) C.1. (May 24, 2005).

Laing, Jonathan R. The Bubble's New Home. *Barron's*. (June 20, 2005).

Landers, Kim. Lehman tumbles, Merrill Lynch totters on Meltdown Monday, *ABC News* (September 16, 2008).

Lasch, Christopher. The Culture of Consumerism. *Consumerism*. Smithsonian Center for Education and Museum Studies. (September 15, 2008).

Leonhardt, David, and Motoko Rich. The Trillion Dollar Bet. *The New York Times* (June 16, 2005).

Lereah, David. *Are You Missing the Real Estate Boom?: Why Home Values and Other Real Estate Investments Will Climb Through The End of The Decade*. NewYork: Currency Books. (2005).

Levy, Ari, and Elizabeth Hester. JPMorgan Buys WaMu Deposits; Regulators Seize Thrift. *Bloomberg* (September 26, 2008).

Lewis, Holden. 'Moral hazard' helps shape mortgage mess. (April 18, 2007). Bankrate.com

Liu, David. Interest-Only and Jumbo Mortgage Data. Mortgage Strategy Group, UBS. NewYork. (2005).

Lobbying Overview. opensecrets.org Lobbying Database. (April 2008). Available at www.opensecrets.org/lobbyists/overview.asp?showyear = a&txtindextype=s.

Madigan, Keith, Ann Therese Palmer and Christopher Palmieri. After the

Housing Boom. *Business Week* (April 11, 2005).

Market Watch. U. S. mortgage, housing markets seen caught in 'vicious cycle.' (May 19, 2008).

Market Watch. Moody's says South Africa may slip into recession. (July 7, 2008).

Market Watch. White House says U. S. avoided recession. (July 31,2008).

Maulden, John. Thoughts on the Housing Bubble. *Forex Rate—Currency News* (July 2, 2005). www. forexrate. co. uk/news

Moffett, Sebastian. The Japanese Property Bubble: Can It Happen Here? *The Wall Street Journal* (Eastern Edition). (July 11, 2005).

Molotch, Harvey. The City as a Growth Machine. *American Journal of Sociology* 82(2) (1976) 309—330.

Morgenson, Gretchen. Arcane Market Is Next to Face Big Credit Test. *The New York Times* (February 17, 2008).

Morgenson, Gretchen. First Comes the Swap. Then It's the Knives. *The New York Times* (June 1,2008).

Morris, Charles R. *The Trillion Dollar Meltdown: Easy Money, High Rollers, and the Great Credit Crash*. NewYork: Public Affairs. (March 3, 2008).

Mortgage Bankers Association. Delinquencies and Foreclosures Increase in Latest MBA National Delinquency Survey. Press release. 2008-07-13. (June 12, 2007).

Mozilo, Angelo. Countrywide Financial putting on the brakes. *Wall Street Journal* (August 9, 2006).

MSN Money. Next:The real estate market freeze. (March 12, 2007).

msnbc. com. How severe is subprime mess? *Associated Press* (July 13, 2007).

Mullen, George. The Coming Financial Tsunami. *The San Diego Union Tribune* (June 9, 2005).

Muolo, Paul, and Mathew Padilla. *Chain of Blame: How Wall Street Caused the Mortgage and Credit Crisis*. NewYork:Wiley. (July 8, 2008).

Murphy, Kevin. What Excessive Pay Package? *Portfolio*. (June 6, 2007). Available at www. portfolio. com/interactive-features/2007/06/salary _ comparison

NationMaster. Municipal Waste Per Capita by Count. (March 2008). www. nationmaster. com/graph/env _ pol _ mun _ was _ per _ cap-pollutionmu-nicipal-waste-per-capita

Norris, Floyd. A New Kind of Bank Run Tests Old Safeguards. *The New York Times* (August 10, 2007).

Obama, Barack. *The Audacity of Hope: Thoughts on Reclaiming the American Dream*. NewYork: Crown Publishing Group and Three Rivers Press. (2006).

Obama, Barack. Renewing the American Economy, Speech given at Cooper Union. (March 27, 2008). Available at www. barackobama. com/2008/03/27/ remarks of senator barack _ obam _ 54. php

O'Driscoll, Jr. , Gerald P. Fannie/Freddie Bailout Baloney, *New York Post* (September 9, 2008).

Onaran, Yalman. Subprime Losses Top $379 Billion on Balance-Sheet Marks: Table, *Bloomberg. com* Bloomberg L. P. (May 19, 2008).

Paletta, Damian and Elizabeth Williamson. Lobbyists, Small Banks Attack Plan For Markets, *Wall Street Journal* (April 1, 2008).

Paulson Jr. , Henry M. Text of the testimony prepared for delivery before the Senate Committee on Banking, Housing, and Urban Affairs. *The New York Times* (September 23, 2008).

Peterson, Peter G. *Running On Empty: How the Democratic and Republican Parties Are Bankrupting Our Future and What Americans Can Do About It*. New York: Picador. (2005).

Phillips, Kevin. *Bad Money: Reckless Finance, Failed Politics, and the Global Crisis of American Capitalism*. NewYork: Viking Adult. (April 15, 2008).

Poirier, John, and Patrick Rucker. Government plan for Fannie, Freddie to hit shareholders, *Reuters*, Yahoo! Finance. (September 6, 2008).

Poterba, James M. Stock Market Wealth and Consumption. *Journal of Economic Perspectives* Vol. 14, No. 2. (2000).

Powell, Robert. Home is where the nest egg is. *Market Watch* (September 17, 2008). Available at www. marketwatch. com/News/Story/Story. aspx? guid = a2f51clbf155453d9bb89f7a925fa041 & siteid = nwhreal & sguid = 1EjmfkpIvkiCi C2kpqp9zw

Pulliam, Susan, and Serena Ng. Default Fears Unnerve Markets. *Wall Street Journal* (January 18, 2008).

Rajan, Raghuram G., and Luigi Zingales. *Saving Capitalism from the Capitalists*. NewYork: Random House Business Books. (April 3, 2003).

Randall, Maya Jackson, and Andrea Thomas. Paulson: 2008 to Be Difficult Year. *Wall Street Journal* (April 13, 2008). Available at http://online. wsj. com/article/SB120800396896310415. html?mod= hps _ us _ whats _ news

Rawles, James Wesley Derivatives-The Mystery Man Who'll Break the Global Bank at Monte Carlo. www. survivalblog. com/derivatives. html. (2007).

Reinhart, Carmen M., and Kenneth S. Rogoff. Is the 2007 U.S. Sub-Prime Financial Crisis So Different? An International Historical Comparison. (February 5, 2008).

Reuters. Japan exports shrink as global downturn hits Asia. (July 24, 2008).

Reuters. Global slowdown may put U.S. in recession: Greenspan. (July 31, 2008).

Reuters. Japan ruling party's Aso: Economy in a recession. (August 5, 2008).

Reuters. Greenspan sees turmoil similar to 1987: report. (September 7, 2007).

Ricardo, David. *Principles of Political Economy and Taxation*. New York: Cosimo Classics. (2006).

Roll, Richard, and John R. Talbott. Political Freedom, Economic Liberty, and Prosperity. *Journal of Democracy*. 14, 3 (July) 75—89. (2003).

Roll, Richard, and John R. Talbott. Revenu Inegal et Lutte des Classes: L'Angle Positif *FINECO Journal*. Vol. 15. English Translation: Income Inequality and Class Warfare:The Positive Approach. (2005).

Roubini, Nouriel. Recession will be nasty and deep, economist says. *Market Watch* (August 23, 2006).

Saks, Raven E. From New York to Denver: Housing Supply Restrictions Across the United States, Economics Department. Working Paper, Harvard University. (2003).

Saks, Raven E. Job Creation and Housing Construction: Constraints on Employment Growth in Metropolitan Areas. Working Paper. (2004).

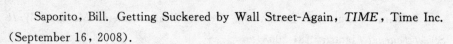

Saporito, Bill. Getting Suckered by Wall Street-Again, *TIME*, Time Inc. (September 16, 2008).

Scherer, Ron. House Not Home: Foreigners Buy Up American Real Estate. *The Christian Science Monitor* (July 15, 2005).

Schroeder, Robert. Housing Markets Show Signs of Bust: Fannie. *Market Watch from Dow Jones* (June 24, 2005). www.marketwatch.com

Schwartz, Nelson D., and Carter Dougherty. Foreign Banks Hope Bailout Will Be Global. *The New York Times* (September 22, 2008).

Schwartz, Nelson D., and Julie Creswell. Who Created This Monster? *The New York Times* (March 23, 2008).

Seidman, Ellen. No, Larry, CRA Didn't Cause the Sub-Prime Mess. *New American Foundation*. (April 15, 2008).

Shaw, Richard. Time to Change Country Mix in World Market-Cap. *Seeking Alpha* (June 22, 2008). Available at http://seekingalpha.com/article/82244-time-to-change-country-mix-in-world-market-cap

Shenn, Jody. Amid Housing-Bubble Din, Something Different? *American Banker* 170, 69 (April 12, 2005) 1—3.

Shiller, Robert J. *Irrational Exuberance: Second Edition* New Jersey: Princeton University Press. (2005).

Shiller, Robert J. *The Subprime Solution: How Today's Global Financial Crisis Happened, and What to Do about It*. Princeton, NJ: Princeton University Press. (August 24, 2008).

Shiller, Robert J. People Are Talking...; *The Wall Street Journal* (Eastern Edition) p. A.12. (June 2, 2005).

Shiller, Robert J. The Bubble's New Home, *Barron's* (June 20, 2005).

Showley, Roger M. Housing Bubble Blip. *San Diego Union Tribune* (June 15, 2005).

Simon, Ruth. Mortgage Lenders Loosen Standards. *The Wall Street Journal* (Eastern Edition) D.1. (July 26, 2005).

Skousen, Mark. Ride out Wall Street's hurricane—The real reasons we're in this mess—and how to clean it up. *Christian Science Monitor* (September 17, 2008).

Social Security Online. Social Security Basics. Social Security Administration Press Office. (March 28, 2008). Available at www.ssa.gov/pressoffice/basicfact. htm.

Sorkin, Andrew Ross. Lehman Files for Bankruptcy; Merrill Is Sold. *The New York Times* (September 14, 2008).

Sorkin, Andrew Ross. Goldman, Morgan to Become Full-Fledged Banks. *The New York Times* (September 21,2008).

Soros, George. *The New Paradigm for Financial Markets: The Credit Crisis of 2008 and What It Means*. NewYork: Public Affairs. (May 5, 2008).

Sowell, Thomas. Cross Country: Froth in Frisco or Another Bubble? *The Wall Street Journal* (Eastern Edition) A. 13. (May 26, 2005)

Statistics Bureau-Ministry of Internal Affairs and Communications. *Japan Statistical Yearbook*. Table 2. 1. (2005).

Stiglitz, Joseph. Stiglitz Says U. S. May Have Recession as House Prices Decline. *Bloomberg* (September 8, 2006).

Stockholm News. Sweden heading for recession. (August 8, 2006).

Stout, David. Paulson Argues for Need to Buy Mortgages. *The New York Times* (September 19, 2008).

Swibel, Matthew. Retire? Not so Fast. *Forbes* 175, 12, p. 100. (June 6, 2005).

Talbott, John R. *Obamanomics: How Bottom-Up Economic Prosperity Will Replace Trickle-Down Economics*. NewYork: Seven Stories Press. (August 2008).

Talbott, John R. *Sell Now! The End of the Housing Bubble*. NewYork: St. Martin's Press. (February 2006).

Talbott, John R. *Slave Wages: How the Rich and Powerful Play the Game*. NewYork. (February 1999).

John R. Talbott. *The Coming Crash of the Housing Market*. NewYork: McGraw Hill. (May 2003).

John R. Talbott. *Where America Went Wrong: And How to Regain Her Democratic Ideals*. NewYork: Financial Times/Prentice Hall. (May 2004).

Talbott, John R. Yes, the Market is Ripe for a Crash. *The Boston Globe*. Boston, MA: The New York Times Company. (July 27, 2003).

Talbott, John R. Home Investments Report: The Housing-Price Run-Up Can't Last; The Housing-Price Run-Up Will Go On; Two Experts Debate the Issue. *The Wall Street Journal*. NewYork: Dow Jones & Company, Inc. (June

14, 2004).

Talbott, John R. Turn Out the Lights—The Housing Party is Over. *The Financial Times*. London: The Financial Times Limited. (July 26, 2004).

The Center for Responsive Politics. Federal Election Commission. Contributions from Selected Industries. (March 20, 2008). Available at www. opensecrets. org/pres08/select. asp?Ind＝K02

The Chosun Ilbo. Autos, Electronics Face Slumps at Home and Abroad. (July 7, 2008).

The Daily Telegraph. European recession looms as Spain crumbles. (July 18, 2008).

The Daily Telegraph. Spain drops reassuring gloss as crisis deepens. (July 18, 2008).

The Daily Telegraph. The global economy is at the point of maximum danger. (July 21, 2008).

The Daily Telegraph. Australia faces worse crisis than America. (July 29, 2008).

The Guardian. German finance ministry writes off Q2 GDP. (July 21, 2008).

The Guardian. The Italy business morale hits 7-yr low, recession seen. (July 24, 2008).

The Guardian. German June retail sales fall adds to economic gloom. (August 1, 2008).

The Guardian. Latvia joins Estonia in recession. (September 8, 2008).

The Herald. Recession fears are stoked as UK economy grinds to a halt. (August 23, 2008).

The Market Oracle. US in Recession Despite Manipulated Employment and Inflation Statistics. The Market Oracle. (May 3, 2008).

The National Coalition on Health Care. Health Insurance Costs. (2008). Available at www. nchc. org/facts/cost. shtml.

The New York Times. Ratios of Home Prices to Rental Prices in Selected Metro Areas. (May 27, 2005).

The New York Times. Rescue Plan Seeks $700 Billion to Buy Bad Mortgages. (September 20, 2008).

The New York Times. How Three Economists View a Financial Rescue

Plan. (September 26, 2008).

The Sunday Times. UK economy heads for 'horror movie.' (July 20, 2008).

The Times. Nationwide warns of recession as house price drop doubles. The Times (July 31, 2008).

The Times. Japan heads towards recession as GDP shrinks. (August 13, 2008).

The Wall Street Journal. Homebuilders: Get Ready to Raise Roof Beams. WSJ (Eastern Edition) A. 13. (August 31,2004).

Timmons, Heather. Shoddy Building in the Housing Boom? Business Week Online (April 25, 2003).

Toll, Robert. Housing Slump Proves Painful For Some Owners and Builders: 'Hard Landing' on the Coasts Jolts Those Who Must Sell; Ms. Guth Tries an Auction; 'We're Preparing for the Worst'. Wall Street Journal (August 23, 2006).

Tracy, Joseph, Henry Schneider and Sewin Chan. Are Stocks Overtaking Real Estate in Household Portfolios? Current Issues in Economics and Finance. Federal Reserve Bank of NewYork. (April 1999).

Tully, Shawn. The New King of the Real Estate Boom. Fortune 151, 8, p. 124. (April 18, 2005).

U. S. Bureau of the Census. Statistical Abstract of the United States—2004—2005. U. S. Government Printing Office. (2005).

U. S. Census Bureau. United States Aging Demographics, UNC Institute on Aging. (October 2006). Available at www. aging. unc. edu/infocenter/slides/us-aging. ppt♯259.

US News and World Report. Housing bubble correction could be severe. (June 13, 2006).

Van Duyn, Aline. Moody's issues warning on CDS risks. Financial Times (May 28, 2008).

Veblen, Thorstein. The Theory of the Leisure Class: An Economic Study of Institutions. NewYork; Modern Library. (1934).

Wall Street Journal. Carlyle Capital's Comeuppance: High Leverage Proves Onerous. (March 7, 2008). Available at http://online. wsj. com/article/ SB120484590324917929. html?mod=googlenews _ wsj

参考文献

227

Wallace-Wells, Benjamin. There Goes the Neighborhood: Why Home Prices Are About to Plummet and Take the Recovery With Them. *Washington Monthly* (April 2004).

Weiner, Eric. Subprime Bailout: Good Idea or 'Moral Hazard'. (November 29, 2007). NPR. org

Wessel, David. Capital: The Fed Starts to Show Concern Signs of a Bubble in Housing. *The Wall Street Journal* (Eastern Edition) A. 1. (May 19, 2005).

White, Ben and Eric Dash. Wachovia, Looking for Help, Turns to Citigroup. *The New York Times* (September 26, 2008).

White, Ben, and Eric Dash. As Fears Grow, Wall St. Titans See Shares Fall. *The New York Times* (September 17, 2008).

Wolk, Martin. Feds No Longer Dismiss Talk of Housing Bubble. *MSNBC* (July 11, 2005). www. msnbc. msn. com

Xinhua. New Zealand considered to be in recession. (July 9, 2008).

Zandi, Mark. *Financial Shock. A 360° Look at the Subprime Mortgage Implosion, and How to Avoid the Next Financial Crisis*. NewYork: FT Press. (July 19, 2008).

Zibel, Alan. Report: More Foreclosures Than Workouts,. *Associated Press, International Business Times* (January 17, 2008).

Zumbrun,Joshua. Technically, No Recession (Feel Better?). *Forbes*. (May 30, 2008).

精品书目　推荐阅读——

1. 逆市布局：经济危机下的经营投资策略

顶尖投资研究机构　从容预见经济大势
企业个人投资必备　逆市之中拥抱商机
作者：中信建投证券研究发展部　彭砚苹
ISBN：978-7-5060-3389-3
出版时间：2009 年 1 月
定价：49.00 元
类别：投资理财/经济管理

2. 扭转乾坤：我如何拯救美国深陷
　　危机的企业

"危机处理"先生史蒂夫·米勒全球首度披露。
克莱斯勒等 500 强美国企业在他手中起死回生
的传奇。

作者：［美］史蒂夫·米勒
ISBN：978-7-5060-3386-2
出版时间：2009 年 1 月
定价：36.00 元
类别：企业管理

3. 管理圣经

雀巢总裁奉献给天下管理者的口袋书！
打造管理团队系统作战的实用教材！
一线管理者随时查阅的工具书！！！
作者：［德］赫尔穆特·毛赫尔
ISBN：978-7-5060-3256-8
出版时间：2008 年 9 月
定价：32.00 元
类别：企业管理

4. 全球性

在全球性浪潮中无往不胜的成功宝典。

中国企业在世界舞台竞争的指导手册。

作者：［美］哈罗德·L·塞金　林杰敏

　　　　　［印度］阿瑞丹姆·K·巴塔查里亚

ISBN： 978-7-5060-3314-5

出版时间： 2008 年 10 月

定价： 45.00 元

类别： 企业管理

5. 毒苹果

世界 500 强企业的大败局。

成功企业抵制 9 大陷阱的诱惑，永葆企业基业长青的秘诀。

小心!!! 别让成功将企业推向毁灭。

作者：［美］罗伯特·赫柏德

ISBN： 978-7-5060-3204-9

出版时间： 2008 年 8 月

定价： 42.00 元

类别： 企业管理

6. 才经

权威人士讲述寻才、选才、育才、用才、成才之道。

人的决策是个人、企业乃至国家事业成功的第一要素。

作者：［阿根廷］费洛迪

ISBN： 978-7-5060-3218-6

出版时间： 2008 年 7 月

定价： 38.00 元（简装本）

类别： 人力资源管理

7. 顶级竞争力

瑞士洛桑国际管理学院世界竞争力中心的最新研究成果。

国家、企业和个人如何在新世界的竞争中取得成功。

对波特竞争力理论的挑战。

作者：［瑞士］斯蒂芬·格瑞里

ISBN： 978-7-5060-3193-6

出版时间： 2008 年 6 月

定价： 39.00 元

类别： 经济管理

8. 领导的奥秘

2008 国际领导学会终身成就奖得主关于领导行为的最新前沿力作。

彻底更新你对领导行为的固有认知，全面揭示领导的奥秘。

作者：［英］曼弗雷德·凯茨·德弗里斯

ISBN： 978-7-5060-3384-4

出版时间： 2008 年 12 月

定价： 39.00 元

类别： 领导行为/管理科学

9. 不可抗拒

独家解读全球热点——消费类电子产业"不可抗拒"的革命。

深度观察中国消费类电子企业的未来发展之路。

作者：［美］乔治·贝里　海根·温泽克

ISBN： 978-7-5060-3356-5

出版时间： 2008 年 12 月

定价： 29.00 元

类别： 企业管理

10. 更高层面的领导

让你拥有正确的领导力，释放员工的能量和潜能！

这是一本成就卓越领导力和团队绩效的商业宝典！

肯·布兰佳及其团队关于领导力的集大成之作。

作者：［美］肯·布兰佳

ISBN： 978-7-5060-3287-2

出版时间： 2008 年 8 月

定价： 48.00 元

类别： 企业管理

11. 新战略性思考

企业精准定位的实战方法。

引入关键思考流程，注入核心驱动力量！

作者：［美］米歇尔·罗伯特

ISBN： 978-7-5060-3355-8

出版时间： 2008 年 12 月

定价： 39.00 元

类别： 企业管理

12. 全球无缝办公

诺基亚移动战略：让工作变得简单！

移动化让公司变得自由高效！

作者：［美］迈克尔·兰提兹等

ISBN： 978-7-5060-3362-6

出版时间： 2008 年 12 月

定价： 33.00 元

类别： 企业管理